黄河水土保持生态工程建设管理

主编　汪习军

黄河水利·出版社

图书在版编目(CIP)数据

黄河水土保持生态工程建设管理/汪习军主编 .—郑州:黄河水利出版社,2002.6
ISBN 7－80621－553－0

Ⅰ.黄… Ⅱ.汪… Ⅲ.黄河流域－水土保持－水利工程－管理 Ⅳ.TV512

中国版本图书馆 CIP 数据核字(2002)第 020233 号

出 版 社:黄河水利出版社
　　　　　地址:河南省郑州市金水路 11 号　　邮政编码:450003
发行单位:黄河水利出版社
　　　　　发行部电话及传真:0371－6022620
　　　　　E-mail:yrcp@public2.zz.ha.cn
承印单位:黄河水利委员会印刷厂
开本:850mm×1 168mm　　　1/32
印张:9.375
字数:234 千字　　　　　　　　　印数:1—1 700
版次:2002 年 6 月第 1 版　　　　印次:2002 年 6 月第 1 次印刷

书号:ISBN 7－80621－553－0/TV·266　　定价:28.00 元

《黄河水土保持生态工程建设管理》

编 审 人 员 名 单

审　　定　黄自强
主　　编　汪习军
副 主 编　熊维新　　王文善
编写人员　刘正杰　　刘景发　　秦鸿儒
　　　　　刘志刚

前 言

黄河流域是我国水土流失最严重的地区。特别是黄土高原,无论是水土流失面积,还是流失强度等,都是世界上其他任何地区所没有的。水土流失面积占总土地面积的 70.9％,多年平均输入黄河下游的泥沙量约 16 亿 t。因此而造成了黄土高原支离破碎的地形及脆弱的生态环境,使得这一地区的经济发展缓慢、群众生活十分贫困;黄河下游河床抬高,成为地上悬河,大大加剧了洪水危胁。新中国成立以来,党和国家领导十分关心和支持黄土高原的水土流失防治工作,经过 50 多年的努力,黄土高原水土保持取得了巨大的成就。

1997 年,江泽民总书记号召要“建设一个山川秀美的西北地区”,并要求把生态环境建设作为黄河流域经济社会可持续发展的重大问题来对待,把水土保持作为改善农业生产条件、生态环境建设和治理黄河的一项根本性措施,持之以恒地抓紧抓好。近年来,中央相继增加了黄河流域水土保持生态建设的投资,黄河水土保持生态工程建设力度不断加大。

为了进一步贯彻落实中央、国务院的有关精神,调整思路,明确目标,加快黄河流域水土保持生态建设与保护的步伐,黄河水利委员会组织完成了黄土高原地区水土保持建设规划,确定了水土保持工作的指导思想、防治重点和具体措施,提出了分三步走的战略目标,指导今后黄土高原的水土保持生态建设工作。按照水利部和黄河水利委员会的有关规定,为了规范黄河水土保持生态工程建设与管理秩序,确保工程建设的质量与效益,我们编制了一系列有关黄河水土保持生态工程建设管理的规定和规范性文件,并汇编成书出版,供水土保持管理部门和水土保持生态工程建设与管理工作者使用和参考,为实现规范化、科学化管理提供依据。

编　者

2002 年 5 月

目　录

综合规划

管理办法

黄河流域水土保持工程
建设项目管理办法[*]

（试　行）

第一章　总　则

第一条　为加强黄河流域水土保持工程建设的规范化管理，加快水土保持防治和开发步伐，依据《中华人民共和国水土保持法》、《水利产业政策》以及《黄河治理开发规划纲要》、《黄河流域黄土高原地区水土保持建设规划》，制定本办法。

第二条　本办法适用于通过水利部黄河水利委员会投资或补助投资，在黄河流域开展的水土保持工程项目。

第三条　黄河流域水土保持工程建设是黄河治理与开发的重要组成部分，其目的是：减少入黄泥沙，减轻水库和河道淤积，治理黄河水患；改善流域农业生产条件和生态环境，提高农业综合生产能力，促进区域经济可持续发展、社会进步和群众脱贫致富。

第四条　黄河流域水土保持工程建设，属跨省（自治区）、对国民经济全局和区域经济发展有重大影响、以社会效益为主、公益性较强的甲类大江大河治理工程。项目建设资金以地方自筹和群众投资投劳为主，中央予以适当补助。

第五条　黄河流域水土保持工程建设按基本建设管理程序，实行项目管理。

第六条　黄河流域水土保持工程建设实行黄河水利委员会、

---

[*]　本办法以黄水保[1998]3号文下发。

黄河水利委员会黄河上中游管理局(以下简称黄河上中游管理局)和省(自治区)水土保持主管部门三级管理。

第二章　立　项

第七条　水土保持工程建设采取分期分批立项,项目分类为:水土保持综合治理,水土保持治沟骨干工程,沙棘资源建设与开发利用,水土保持预防监督,支持服务系统建设等。

第八条　申请水土保持工程建设项目,须具备以下条件:

1.项目区须有经过省级水土保持主管部门批准的水土保持规划。

2.领导重视,群众积极性高,有水土保持组织和预防监督机构。

3.匹配资金能够落实,并能按需要积极投劳。

4.预防监督工作开展较好,有预防水土流失的有效措施。

5.能圆满完成以前项目,并取得验收合格证。

第九条　水土保持工程建设项目申报立项的程序为:

1.省(自治区)水土保持主管部门负责组织编制项目立项建议书,报黄河上中游管理局。

2.黄河上中游管理局负责对申报的立项建议书进行审查,汇总后上报黄河水利委员会审批。

3.省(自治区)水土保持主管部门根据批准的项目立项建议书,按有关规范要求,组织编制项目实施规划,报黄河上中游管理局。

4.黄河上中游管理局负责项目实施规划的审批,并报黄河水利委员会备案。

第三章　计　划

第十条　省(自治区)水土保持主管部门依据批准的项目实施规划,编制年度投资初步方案,报黄河上中游管理局。黄河上中游管理局结合上年度投资计划的实际完成情况,1月初提出年度投资安排意见,7月初提出下年度建议计划和次年度框架计划,上报黄河水利委员会。

第十一条　黄河水利委员会根据水利部下达的年度投资指标和黄河上中游管理局提出的年度计划安排意见,统筹安排,确定年度投资实施计划,下达黄河上中游管理局。黄河上中游管理局再分解下达到省(自治区)水土保持主管部门。

第十二条　省(自治区)水土保持主管部门按照下达的年度投资实施计划组织实施,不得擅自变更项目建设内容、规模和标准。确需变动,须报原审批单位批准。

第四章　财　务

第十三条　项目所在省(自治区)水土保持主管部门按下达的年度实施计划执行,保证匹配资金同步到位。否则,由黄河上中游管理局提出警告,直至终止财务拨款,停止计划执行。

第十四条　中央补助投资,根据项目工程统计报表和财务报表逐步拨付,省(自治区)水土保持主管部门可预留5%的质量保证金,待项目年度检查合格后支付。

第十五条　黄河上中游管理局在当年度下达地方的中央补助投资中提取2%作为项目实施中的协调、管理经费。

第五章 实　施

第十六条　省(自治区)各级政府,实行行政首长负责制和部门工作责任制,统一组织和协调项目的实施,建立权责清晰、任务明确、管理科学的水土保持工程建设管理体制。

第十七条　各级按照有关工程技术规范、标准和规定,建立施工管理、质量监督、工程报表、财务管理及情况联系制度,加强项目实施的规范化管理。

第十八条　项目实施采取逐级签订建设合同的方式进行管理。合同内容及格式由黄河水利委员会制定。

第十九条　省(自治区)水土保持主管部门要定期对项目实施进行检查。检查的主要内容有:资金到位及使用情况、工程进度及质量、预防监督开展情况、资料管理等。

第二十条　省(自治区)水土保持主管部门要按要求及时向黄河上中游管理局报送工程统计报表和财务报表;每年 7 月 10 日前报送半年工作小结,1 月 10 前报送上年度工作总结、工程统计年报和年终财务决算。黄河上中游管理局在 1 月 20 日前汇总上报黄河水利委员会。

第二十一条　黄河水利委员会对项目执行情况进行随机检查。黄河上中游管理局负责组织年度检查,并将检查结果于下年度 2 月初上报黄河水利委员会,同时反馈给省(自治区)水土保持主管部门。年度检查结果将作为项目验收的依据之一。

第六章 验　收

第二十二条　项目验收根据有关技术规范、标准、规定,以及实施规划及其修改文件中的各项内容和要求进行。

第二十三条 省(自治区)水土保持主管部门负责项目的单项工程验收,并报黄河上中游管理局备案。

第二十四条 项目完成后,省(自治区)水土保持主管部门要及时进行总结和自验,并在两个月内向黄河上中游管理局提出验收申请,上报验收文件。黄河上中游管理局在一个月内就初步验收事宜给予答复。

第二十五条 省(自治区)水土保持主管部门向黄河上中游管理局提供的项目验收文件包括:项目建议书、实施规划及其修改文件、工程建设合同、单项工程验收报告、项目自验报告、项目竣工报告、财务决算和项目审计报告。

第二十六条 黄河上中游管理局负责项目的初步验收。在初验后二个月内提出初验报告,上报黄河水利委员会。

第二十七条 黄河水利委员会负责组织项目的竣工验收。验收合格的,颁发验收合格证;验收不合格的,要限期进行补建。否则,将予以通报批评,并限制以后的工程立项和计划安排。

第二十八条 项目竣工验收时,省(自治区)水土保持主管部门要明晰验收后的工程产权,落实经营管理责任。

第二十九条 对项目完成好的单位和个人要给予表彰奖励。具体办法另行制定。

第七章 附 则

第三十条 本办法自颁布之日起执行。

第三十一条 本办法由黄河水利委员会负责解释。

第三十二条 与本办法有关的专项管理办法,黄河水利委员会另行制定。

(编写人员:后同德、刘正杰)

黄河水土保持生态工程
质量监督管理办法[*]

（试　行）

一、总　则

1.为了加强黄河水土保持生态工程的质量管理,强化工程质量监督,提高工程质量,充分发挥投资效益,根据水利部《水利工程质量监督管理办法》,结合黄河水土保持生态环境建设的实际,特制定本办法。

2.黄河水土保持生态工程各级主管部门应充分认识质量监督的重要意义,组建必要的质量监督机构,负责黄河水土保持生态工程的质量监督管理。

3.质量监督的主要依据:

(1)国家和地方现行有关工程质量的法规和技术标准,包括设计和施工的规范、规程等。

(2)经批准的工程设计文件,包括设计说明、图纸、技术要求、设计变更文件及合同等有关资料。

二、质量监督机构和职责

（一）质量监督机构

1.黄河水利委员会设质量监督分站,黄河上中游管理局设质

---

　* 本办法以黄水保[2001]2号文下发。

量监督站。

2.各省(区)、各项目区应根据实际情况组建或委托地方质量监督部门组建质量监督机构和项目站。治沟骨干工程、重点小流域等单项工程,应由县级主管部门设置临时性的质量监督机构或配备必要的质量监督员。

3.各级质量监督机构根据工作需要和专业配套的原则,确定质量监督员(含兼职)的数量。

4.质量监督员必须具备以下条件:

(1)工程师及以上职称,或大专以上学历并有3年以上从事水土保持工作的经历。

(2)坚持原则,秉公办事,认真执法,责任心强。

(3)经过培训并取得水利部核发的水利工程质量监督员证。

5.为保证质量监督工作的公正性、权威性,凡从事工程中的监理、设计、施工、材料供应的人员不得担任该项目工程的质量监督员。

(二)质量监督机构的职责

1.贯彻执行国家和上级有关工程质量管理的方针、政策,制定质量监督、检测的有关规定和办法。

2.负责对黄河水土保持生态工程质量实施监督工作,并向主管部门负责;指导下级质量监督机构开展工作,参加工程的年度检查和竣工验收。

3.监督重大工程质量事故的处理。

4.掌握工程质量动态,组织经验交流,培训人员,开展相关的质量监督活动。

5.向主管部门报告质量监督工作情况。

三、质量监督的主要内容

1. 对监理、设计、施工和种苗、物资提供单位的资质进行复核。

2. 对建设单位的质量管理、监理单位的质量检查、施工单位的质量保证体系和现场服务情况进行监督检查。

3. 监督检查技术规程、规范和质量标准的执行情况。

4. 检查并完成对工程质量的检测和质量评价。

5. 工程质量检查包括:是否按工程设计进行施工,单项、分部工程是否符合质量标准,监理、施工单位的质检人员、设备到位情况,施工工序、建筑材料、种苗等是否符合要求。

6. 提出阶段质检报告,并监督施工单位对存在质量问题的工程进行处理。

7. 编制项目质检报告,在工程竣工验收前,对工程质量进行等级核定,并向工程验收组织单位提出工程质量等级的建议。

四、质量监督方法

1. 黄河水土保持生态工程的质量监督方法以抽查为主,进行巡回检查、监督。

2. 对重点项目的重要工程应进行定位监测,指定专人负责,积累资料,并将质量情况及时报工程建设单位和主管部门。

3. 根据需要对工程进行必要的抽样检测。

五、质量检测的任务和要求

1. 质量检测任务一般由质量监督机构完成,有特殊要求的项目可委托专门的检测单位完成。检测单位必须取得相应的资质,并经质量监督机构授权,方可开展工作。检测人员必须持证上岗。

2.质量检测的任务:

(1)对已竣工工程的质量进行抽样检测,提出检测报告。

(2)根据检测结果,对项目实施提出要求和建议。

(3)参与质量事故分析,研究处理方案。

(4)完成质量监督机构委托的其他任务。

3.检测的要求:

(1)质量监督项目站,对各项治理措施每年要最少检测一次,每次抽检的数量应占该项措施数量的5%以上。对治沟骨干工程检测每年不得少于两次,抽检的数量应占当年施工总量的10%以上。每次检测后要提出文、图、表齐全的检测报告。

(2)黄河水利委员会质量监督分站、黄河上中游管理局质量监督站,可根据实际情况确定检测的次数和抽检的数量。

4.质量事故的处理:

(1)质量事故发生后,应按"四不放过"的原则,根据有关法规和规定进行处理。即:调查事故原因,研究处理措施,查明事故责任,监督事故处理。

(2)一般质量事故由施工单位进行调查,提出处理意见,经建设、监理单位同意后实施,并由建设单位将事故调查处理情况书面报质量监督机构核查、备案。

(3)重大质量事故,由建设单位会同质量监督机构组织监理、设计、施工单位共同调查分析事故原因,明确责任,研究提出处理方案,报主管部门批准后,由施工单位实施,并将事故调查处理情况上报主管部门和上一级质量监督机构核查。

(4)处理方案中的工程质量应符合设计标准,处理后必须进行工程质量检测和评定。

六、质量监督成果

阶段性质量监督工作结束后和每年年底,质量监督机构应提出质量监督工作报告和质量检测报告,并报同级主管部门。

(一)质量监督报告的内容

1.质量监督依据的制度、规定、相关的技术标准。

2.采取的方法、措施及检测和调查的各项数据分析。

3.对质量事故的分析和处理意见。

4.工程质量评价及质量等级核定意见。

5.对下阶段工作的建议等。

(二)质量检测报告的内容

1.检测项目名称、位置、检测目的要求。

2.检测方法、仪器、工具、所依据的规范。

3.规定质量指标,实测质量指标。

4.检测结果,质量评定意见。

5.附件:质量检测原始记录表、检测成果汇总表、检测点分布图。

七、附　则

1.本办法自颁布之日起施行。

2.本办法由黄河水利委员会负责解释。

(编写人员:刘景发、秦鸿儒、刘志刚、刘正杰)

黄河水土保持生态工程
年度检查办法[*]

（试　行）

一、检查的目的和依据

1. 黄河水土保持生态工程年度检查的目的,是通过对各单项治理措施或工程的检查,就年度项目进度、质量、资金使用以及管理等作出全面评价。

2. 黄河水土保持生态工程年度检查的主要依据是:《黄河水土保持生态环境建设管理工作暂行意见》;经上级审批的年度计划、设计文件;国标《水土保持综合治理验收规范》。

二、检查程序

年度检查按照自查、复查和年度抽查三个步骤进行。

（一）自查

年度治理任务完成后,由地(市)水土保持主管部门负责组织或委托县水土保持主管部门组织,邀请有关部门人员参加,于当年治理工作结束后年底前,对照年度计划,逐项措施、逐项工程、逐地块进行现场自查,对治沟骨干工程年施工进度及质量也相应作出检查,并对年度治理成果作出评价。检查结果于次年1月中旬前报省(区)水土保持主管部门。

---

* 本办法以黄水保[2001]2号文下发。

(二)复查

由省(区)水土保持主管部门负责组织或委托地(市)水土保持主管部门组织,邀请有关单位派人参加。在自查基础上,于次年3月前进行复查工作。复查重点包括年度计划执行、工程质量、资金使用、项目管理等方面内容,并对年度治理成果作出评价。复查报告应于3月底前报黄河上中游管理局(以下简称上中游管理局),并抄送黄河水利委员会(以下简称黄委会)。

(三)年度抽查

由上中游管理局组织,邀请黄委会有关部门及省(区)水土保持主管部门参加,在复查基础上,于次年4月前进行抽查。年度抽查报告应于抽查结束后两个月内报黄委会。抽查重点除复查内容外,还应着重了解治理措施的单项效益与综合效益。

(四)项目管理部门抽查

各级项目管理部门可随时对所管项目区的工程建设情况进行抽查。

三、检查内容

(一)治理任务完成情况

1.体现经审批的项目规划、可行性研究报告的指导思想和原则。

2.治理措施内容是否与初步设计一致,各项治理措施是否按照设计图斑落实到地块,治理措施面积是否与图斑面积相符。实施中调整任务或变更设计是否经原审批部门审批。

3.各项治理措施施工质量要求、质量测定方法、数量统计要求是否符合 GB/ T15773－1995 国家标准。

(二)组织领导

1.是否有健全的组织领导机构,当地政府和领导干部是否将水土保持工作纳入任期目标责任制,是否实行基本建设项目"三项制度",有无强有力办理机构及合理配备工作人员。项目区工程建设责任制是否逐级落实。

2.各部门工作是否协调,群众发动是否充分。

3.治沟骨干工程防汛度汛工作是否做到组织、责任、人员落实。

(三)规章制度

1.能否执行国家或上级主管部门制定的有关项目建设管理、财务、资金管理、管护等规章制度。

2.是否结合当地实际制定有关规章制度、实施细则、乡规民约。

(四)预防监督

有无健全监督机构及专(兼)职管护人员,配套法规是否完善,"两费"征收、水保方案审批情况,预防新的水土流失效果是否显著。

(五)监测站、点

1.省、地(市)、县水土保持主管部门有无负责人分管监测工作,项目区是否配备经过培训的科技人员2~3人专(兼)职从事监测工作。

2.监测内容是否完备,监测方法是否得当,是否符合监测设计要求。

3.治理进度与质量监测是否以小流域为单元部署,经济效益、生态效益、社会效益监测是否按农户、按定点监测。

(六)资金管理

1.按照财务管理有关规定,检查治理补助资金是否到位,地方匹配资金是否落实并建立专账。

2.有无专职会计,是否做到专款专用,账表相符,手续完备。

3.是否建立治理补助经费兑现制度并能认真执行。

(七)档案资料

档案资料检查包括以下几个方面：

(1)项目建设单位及主管部门编制的规划、立项建议书、可研(可行性研究)、设计和上报文件，上级主管部门的批复文件、年度计划、工程建设任务书，工程施工的各类合同等。

(2)规划、可研、初设及实施过程中重要会议纪要，重要问题的书面报告、请示和上级批复意见，有关领导同志检查工作谈话记录。

(3)有关调查报告及各类附表和附图。

(4)根据国标规定的各项治理技术要求，分别制定的各项治理措施的标准设计或典型设计、文件及图纸。

(5)项目实施中单项治理措施检查成果、年度检查成果。包括单项治理措施或较大工程项目经验收合格填写的"验收单"和据此而绘制的验收图，实施主持单位的自查报告及相关表，地、县水土保持主管部门自查的单项措施验收表，小流域综合治理年度检查情况表，年度经费使用情况表及其说明，年度工作总结报告以及省(区)水土保持主管部门复查的同类文件。

(6)初设原始资料(文字、图、表)，较大工程施工日志，各单项措施或较大工程使用物资记录和相应完成措施工程量记录及质量检查原始记录，施工过程中遇暴雨洪水或其他事故抢救或处理记录和总结，自查原始记录，各类统计数据原始资料，各类效益专题报告及其计算过程，工程承包单位(或农户)领取补助费收据等。

(7)档案应系统整理，档案管理应有专人负责，没有完整、准确、系统档案材料的项目不得验收。

(八)其他

1.举办过哪种类型的技术培训，培训对象、内容、人数及培训方法、效果。

2.县水土保持主管部门的工程技术人员是否坚持现场技术指

导,是否做到帮助项目建设解决技术问题,严把质量、技术关。

3.在宣传方面采用了哪些形式,宣传范围及效果如何;为推动项目实施,制定了哪些政策,采取了哪些改革措施。

四、检查要求

1.检查前应进行人员培训,提高认识,统一标准,明确方法,制定必要的检查纪律。

2.年度检查时发现有下列情况之一的,应从严扣分:采取以无报有、以旧报新、重复上报等手段虚报治理面积的;对人为破坏造成新的水土流失制止不力的;地方匹配资金不落实的;挪用项目资金的;财务账目不清、虚报冒领的。

3.梯田及其他工程措施当年竣工当年自查,林、草等植物措施,春季栽植的秋季检查成活率,秋季栽植的第二年春检查成活率,保存率均在第二年自查。

五、检查标准

(一)水平梯田

(1)规划布局合理,集中连片,田面纵断面基本水平,横断面内低外高,蓄水埂、田坎坚固,断面达到设计标准。

(2)应有植物护埂。

(3)梯田建成后,确定承包方履行保养、提高地力的义务。

(4)采取增施肥料、培肥土壤、种植适宜作物等增产措施。

(二)造林和果园建设

(1)林种、林型、树种适合当地立地条件,施工质量达到设计要求。

(2)应出具苗木质量验收单,验收单应包括苗木名称、数量、来源、出圃时间、苗木等级、苗木检疫等内容。

(3)检查时,对灌木林采用 10m×10m 样方,乔木林及经济林采用 30m×30m 样方,测算造林密度是否符合设计要求。

(4)造林一年后在规定范围内,取样方测定成活率,成活率低于 60% 的按不达标工程处理,应限期补植。

(5)水保林做到灌乔结合,果园地应采取植草等覆盖措施。

(三)人工种草

(1)草种选择、栽植技术是否符合规划设计要求。

(2)检查是否达到"精细整地"要求。

(3)在规定抽样范围内取 2m×2m 样方,测定出苗及生长状况,草长成后用同样尺寸样方,测定自然草层高度及地面覆盖度,当年成苗数低于 30 株/m^2,风蚀沙地覆盖度低于 40%,水蚀地区低于 70% 按不达标工程处理,应限期补播或补植。

(四)封禁治理

(1)封禁范围应有明显界限,有专人管理,做到管理人员职责落实。

(2)对照封禁制度、乡规民约,检查具体执行情况,有无违反制度、破坏林草现象。

(3)封山育林育草是否按设计要求进行了补播、修枝等抚育措施。

(4)在规定抽样范围内,取 20m×20m 样方,清点原有残林株数和新生幼树株数,并各选 10 株老树和幼树,测其树高、根(胸)径、冠幅、覆盖度。取 2m×2m 样方,观察草丛结构,测定牧草质量、生物量与覆盖度。多年封禁后,凡林草覆盖度在风蚀沙地 40% 以下,在水蚀地区 70% 以下的为不合格,不合格的应继续封禁。

(五)治沟骨干工程

(1)基础开挖施工完毕未覆盖前,县水土保持主管部门负责组织,设计、施工、管理单位参加,检查清基范围、清基质量、接合槽深度、截水槽断面尺寸与回填土料是否符合设计要求;卧管及溢洪道基础开挖线、开挖深度及各部位断面尺寸是否达到设计规定;各构件部位土质基础干容重、石方衬砌所用砂浆配料、铺砌技术是否符合规定。

(2)对照施工单位施工记录,抽样检查土坝回填压实质量,土坝竣工后,沿坝轴线长度每 10m 设一高程标志点,检查沉陷量是否符合设计标准。

(3)暴雨洪水后各类建筑物是否完好无损,如有损毁应查明原因及时处理。

(六)淤地坝、小型蓄水工程

(1)淤地坝工程总体布局合理,能有效控制沟底下切,坝体断面、溢洪道口尺寸、施工质量达到设计要求。

(2)蓄水池、水窖防渗措施符合设计要求。水窖拦污、沉沙措施齐全完善。

(七)风沙区治理措施

(1)总体布局符合规划要求。

(2)沙障布置位置、形式、使用材料、施工方法和质量符合设计要求,能起到固沙作用。

(3)防风固沙林带、农田防护林网、成片造林等布局合理,林带走向、宽度、树种、林型、株行距符合设计要求。

(4)引水拉沙造田及其配套工程(蓄水池、引水渠、冲沙渠等)齐备,田面平整,有林带保护,有灌溉设施。

(5)造林质量要求与(二)同。

六、检查方法

(一)外业与内业结合

外业主要是实地检查各项治理措施完成数量和质量、预防监督及水土保持方案实施情况;内业主要是查看有关总结与统计资料、相关文件、录像、图片等。

(二)自查

对照小流域设计图斑和年度计划,对各项治理措施的数量和质量在现场逐块逐项检查,自查成果造册登记,并准确勾绘于小流域综合治理初设图或土地利用现状图为底图的1/10 000图上,并注明验收数量和验收时间。凡质量不合格的不能统计数量。

(三)复查

在自查基础上,采取标号抽签办法,随机选定复查的小流域,对照自查成果图、表,逐县逐项抽样复查。抽样小流域数为小流域总数的40%,复查面积不得少于总治理面积的20%。复查的小流域(片)确定后,采取按治理措施抽签办法,确定各项治理措施抽样点,抽查点以面积计量的措施,原则上以图斑为最小单位,图斑面积过大时,可对该图斑若干地块进行核实。根据复查结果,对小流域按好、中、差三类排队。

(四)年度抽查

在复查基础上,采取标号抽签办法,抽查部分小流域。所抽小流域好、中、差均应占一定比例。抽查小流域数为小流域总数的20%,抽查面积不少于总治理面积的10%。小流域内各项措施抽查办法与复查同。对治沟骨干工程要逐座进行检查。

七、检查评价与奖惩

(一)评价

1. 年度检查评价采取百分考核制,根据附表"黄河水土保持生态工程年度检查综合评分标准",将年度检查的七个方面细分成不同检查内容,每个内容都按具体要求与打分办法进行打分。按照优秀、良好、合格、不合格划分评价等级。

2. 在全面完成内外业检查的基础上,检查单位编写年度检查报告,并对被检查单位的年度项目实施作出全面评价。

(二)奖惩

对年度检查优秀的给予表彰,对连续 3 年获得优秀工程的设计者、主要施工人、项目负责人颁发优质证书;对不合格的通报批评,限令采取措施整改。对连续两年检查优秀的县项目主管部门主要负责人,给予表彰和物质奖励;对连续两年检查不合格的,通报批评直至取消项目。

八、附　则

1. 本办法自颁布之日起施行。
2. 本办法由黄河水利委员会负责解释。

附表

黄河水土保持生态工程年度检查综合评分标准

序号	检查项目	区域	检查内容	满分	赋分说明
1	治理成果65分	丘陵沟壑区	**梯田15分** 开展集中连片,适度规模综合治理(占治理面积50%以上)	5	占治理面积40%~50%4分,40%以下3分,30%以下2分
			全面完成计划任务	8	完成计划任务85%以上6分,以下3分
			①田面纵断面水平;②横断面内低外高;③深翻40cm以上	3	①②③各1分
			①覆坡完好;②有植物护坡	4	①②各2分
			水保林12分 全面完成计划任务	4	完成计划任务85%以上3分,80%~85%2分,80%以下1分
			苗木质量	1	无苗木合格证0分
			树种选择得当,灌乔混交	3	纯乔木林1分,纯灌木林2分
			施工质量达到设计要求	2	70%~85%1分,70%以下0分
			当年成活率达到85%以上	2	
		高原沟壑区	**经果林9分** 全面完成计划任务	3	完成计划任务85%以上2分,70%~85%1分
			苗木质量	1	无苗木质量验收单0分
			施工质量符合设计要求	1	
			当年成活率达到90%以上	1	75%~90%2分,75%以下0分
		土石山区	**人工种草9分** 完成年度计划任务	3	完成计划任务85%以上3分,75%~85%2分,75%以下1分
			草种质量	4	无草籽质量验收合格证0分
			整地质量	1	整地细碎,深度达到要求满分
			当年成苗30株/m²以上	1	20株/m²以上2分,20株/m²以下1分
			封禁治理5分 封禁范围界限明显,有专人管理	3	
			有封禁制度,群众约束执行	1	
			按设计进行补植、修枝等抚育措施	1	
			封禁启示林草生长良好	1	
			小型工程10分 全面完成计划任务	2	完成计划任务80%~90%2分,80%以下1分
			规划布局合理	3	部分工程规划布局不合理1分
			施工质量符合设计要求	5	工程个别部件质量不符合设计要求酌情扣分

续附表

序号	检查项目			检查内容	满分分值	赋分说明
1	治理成果65分	风沙区治理	防风固沙林25分	开展集中连片,适度规模综合治理(占治理面积50%以上)	5	规模综合治理占治理总面积40%～50%4分,40%以下3分,30%以下2分
				①沙障布置位置、形式;②使用材料;③施工方法;④质量均符合设计要求	4	①、②、③、④各1分
				全面完成设计任务	5	完成任务90%以上4分,85%以上3分,以上2分,80%以下1分
				树种选择得当,苗种质量合格	3	无苗木质量合格证扣2分
				施工质量符合设计要求	5	基本符合设计要求2分
				当年成活率达到85%以上	10	80%～85%8分,75%～80%6分,75%以下4分
				林带走向、宽度、林型符合设计要求	2	
			农田防护林15分	全面完成设计任务	5	完成计划任务90%以上4分,85%以上3分,80%以上2分,80%以下1分
				树种选择得当,苗木质量合格	2	无苗木质量合格证1分
				施工质量符合设计要求	3	部分质量不符合设计要求2分,50%以上不合格1分
				当年成活率达到85%以上	3	成活率80%以上3分,75%以上2分,75%以下1分
				规划设计合理,措施配置得当	3	少量设计不尽合理2分
			引水拉沙造田20分	全面完成设计任务	7	完成计划任务90%以上6分,85%以上5分,80%以上4分,75%以上3分
				配套工程齐全,施工质量符合设计要求	5	工程配套不齐全2分;配套质量不合要求2分
				有灌溉设施质量符合设计要求	5	有设施质量不符合设计要求2分

续附表

序号	检查项目	检查内容	满分	得分	赋分说明
2	组织领导 5分	有健全领导机构,纳入任期目标责任制,实行"三项制度"	2		
		有办事机构,人员组织合理,职责明确	2		
		县对乡、乡对村、村联系到户的检查指导落实	1		
3	规章制度 5分	严格执行国家或上级项目主管部门制定的各类规章制度	2		
		结合当地实际制定的相关规章制度	2		
		各部门工作协调,群众发动充分	1		
4	预防监督 5分	有健全监督机构及专(兼)职管护人员	2		
		依法征收"两费",审批水保方案	1.5		
		预防新的水土流失效果显著	1.5		
5	资金管理 10分	国家补助资金和省、地、县匹配资金及时足额到位	2.5		
		专款专用,无挪用挤占、虚列开支现象	2.5		
		有专(兼)职会计,账目清楚,手续完备	2.5		
		补助经费按期如实向群众兑现	2.5		

续附表

序号	检查项目	检查内容	满分	得分	赋分说明
6	档案资料 5分	原始资料,技术档案齐全,管理规范	1		
		规划、可研、设计、计划、统计、财务报表、年度工作总结齐全,数据准确	2		
		验收单、验收成果图等验收成果齐全	2		
7	其他 5分	监测工作落实,监测方法得当,积极开展定点监测	1		
		举办技术培训,技术人员现场指导,严把质量、技术关	2		
		宣传指导有力,宣传效果良好	2		
合计			100		

注:1. 完成所有检查评分的任务后,对被检查单位进行评分,评分分为四个等级:总分在90分以上为优秀;总分在80～89分为良好;总分在70～90分为合格;总分少于70分为不合格。

2. 风沙区与黄土丘陵区、高原沟壑区、土石山区属并列关系。

3. 特殊地区无表列某项治理治措施时,该项措施的分值分摊到其他措施中。

（编写人员:刘正杰、刘志刚、刘景发、秦鸿侨）

黄河水土保持生态工程
竣工验收办法*

（试　行）

一、竣工验收目的和依据

1. 黄河水土保持生态工程竣工验收的目的，是评定项目区、小流域、单项工程的质量、数量，对项目实施作出总体评价。

2. 黄河水土保持生态工程竣工验收的主要依据是：《黄河流域水土保持工程建设项目管理办法》；《黄河流域水土保持生态环境建设管理工作暂行意见》；上级主管部门批复的规划、可研报告、设计文件；合同文本、计划下达文件；国家颁发的有关技术规范、标准。

二、竣工验收内容

1. 综合验收内容：

（1）治理措施：根据小流域综合治理初步设计的治理措施，逐项进行验收。验收重点为各项治理措施在小流域中是否按设计实施；各项治理措施的质量和数量；质量验收中包括造林、种草的保存率，各类工程措施是否符合设计要求，经汛期暴雨考验情况。

（2）治理效益：审查效益分析基础资料是否可靠，计算方法是否合理，计算成果是否准确可靠。

---

* 本办法以黄水保[2001]2号文下发。

(3)财务管理:按照财务管理有关规定,检查经费到位、使用、补助费兑现及账目管理情况等。

(4)实施管理:验收预防监督、治理成果管护等方面制度是否健全,实施效果和技术成果资料归档建档情况。

2.项目区验收在小流域竣工验收基础上,侧重对项目实施期间小流域整体实施效果作出评价;小流域验收侧重对年度检查成果作出评价,并对主要治理措施或单项工程进行抽验;治沟骨干工程侧重对施工质量标准的验收。

3.申请竣工验收前,提交的有关验收材料须经监理单位核实认可。

三、竣工验收标准

(一)项目区验收标准

1.全面完成项目区内治理任务,各项治理措施符合国标GB/T15773-1995附录 A 的验收质量要求(特殊地区可按照本省区地方标准执行)。

2.各项治理措施布局合理,形成综合防护体系,工程设施完好率在 90%以上,植物措施保存面积达到设计面积的 80%以上。

3.项目区各小流域水土资源得到合理利用,土地利用结构和产业结构趋于合理,土地利用率和土地产出率达到设计标准。

4.水土流失得到有效控制,缓洪减沙效益和林草覆盖度达到设计要求,生态环境有明显改善。

5.群众生活得到明显改善。人均粮食基本达到自给,人均纯收入增长水平比当地平均增长水平高 30%以上。

6.人为造成新的水土流失基本得到控制,各项治理措施的使用、管护、受益等方面责任制落实,治理成果得到管护和巩固提高。项目区和小流域内没有毁林毁草、陡坡开荒等破坏事件,开矿、修路等基本建设项目,均采取了有效水土保持措施。

7.项目区内小流域治理标准应全部达到合格以上。

(二)小流域单项措施验收标准

小流域单项措施包括水平梯田、水土保持林草、封禁治理、淤地坝与小型蓄水保土工程、风沙区治理等,其竣工验收标准参照《黄河水土保持生态工程年度检查办法》第五项的有关内容。

(三)治沟骨干工程验收标准

1.工程竣工报告、竣工图纸及竣工项目清单、施工监理资料、施工记录及质量检验记录、阶段验收和单项工程验收鉴定书、主体工程承包合同文本、竣工决算、工程建设大事记和主要会议记录,全部工程设计文件和设计变更修改图纸,以及上级批准文件等资料齐全并符合要求。

2.根据工程设计文件、竣工图纸、施工记录、质量检验记录及阶段验收和单项验收鉴定书,检查土坝、涵卧管及溢洪道基础开挖、土方回填及其质量测定方法是否符合设计要求。

3.土坝坝体应无纵横裂缝,沉陷度符合规范要求,无滑坡等毁损现象,迎水坡无风浪冲刷,背水坡无散浸及集中渗漏,坝坡浸润线逸出处无管涌和流土,排水导渗正常,溢洪道两岸无滑坡预兆,墙体或底板无损坏,闸门及启闭设备运用正常,排水管渠畅通。

4.经暴雨洪水考验,发现问题已查明原因并及时处理。各建筑物完好无损。

5.坝体应及时种草或灌木覆盖,坝体两端取土场和山坡应进行整理并采取防止水土流失措施。

6.有管护组织,并建立健全管护制度,落实管护人员,保证工程安全正常运行。

(四)预防监督验收标准

1.严格执行《中华人民共和国水土保持法》、《中华人民共和国森林法》、《中华人民共和国草原法》及有关水土保持地方性法规、规范性文件及有关规章制度。

2.坚持防治并重、治管结合,各项治理措施的使用、管护、受益等方面的责任制落实,使治理成果得到巩固。

3.没有发生毁林毁草、陡坡开荒等破坏事件,25°以上陡坡耕地已退耕还林还草。

(五)财务管理验收标准

1.国补资金和地方匹配资金按规定落实到位。

2.严格执行有关财务管理规定,做到专款专用。

3.建立了经费兑现制度,并认真执行。

4.竣工决算已经完成并通过竣工审计。

(六)档案管理验收标准

1.将项目档案纳入各级水土保持部门档案体系,建有档案制度。有专人管理。

2.规划、可研、设计、施工、管理等技术文件、原始资料及计算成果及时归档,做到齐全、完整、准确和系统。

3.按照反映工作过程的主要文献,各个工作环节的主要技术成果,小流域综合治理和单项工程竣工验收成果三个主要技术环节做到分类建档。

四、验收组织、程序和方法

(一)自验

1.小流域、治沟骨干工程自验,由县水土保持主管部门负责组织;项目区自验由省(区)水土保持主管部门负责组织或委托地(市)水土保持主管部门组织。

2.小流域按照设计要求,在历年检查基础上,对各项治理措施的数量、质量现场验收,将验收成果填入验收表中,并实地复核1/10 000年度验收图。凡质量不合格的不能统计数量。

3.治沟骨干工程应在工程完工后下一年的上半年逐座进行验收。

4.项目区由省(区)水土保持主管部门在各小流域、单项工程自验基础上,汇总提出自验报告。

5.自验组织单位负责编写小流域、治沟骨干工程、项目区自验总结报告和竣工验收申请报告,填绘有关验收图、表,上报申请复验。自验不合格的,不得申报复验。

(二)复验

1.在自验后的三个月内进行复验。小流域、治沟骨干工程的复验由地(市)水土保持主管部门组织,项目区复验由黄河上中游管理局组织,省(区)水土保持主管部门参加。

2.复验应对上报的《竣工验收申请报告》、《自验总结报告》及其附表、附图、附件等进行全面审查。

3.小流域要对照自验成果图、表,逐条进行复验。对各项治理措施采取随机抽样办法,按照25%～30%的比例抽样,逐项核实质量和数量。抽查面积不得少于总治理面积的20%。

4.治沟骨干工程在自验的基础上逐座复验。复验可与年度检查一并进行。

5.项目区复验,采取随机抽样的办法,每县抽查20%的小流域。在抽查到的小流域内,对各项治理措施按照10%～15%的比例抽样,逐项核实质量和数量。抽查面积不得少于总治理面积的10%、治沟骨干工程抽查总数的20%。

6.复验组织单位分别对工程项目实施作出总结和评价,编写出项目区、小流域、治沟骨干工程复验报告,分别上报申请验收。复验不合格的,不得申报竣工验收。

(三)竣工验收

1.小流域和100万 m³ 以下治沟骨干工程的竣工验收由省(区)水土保持主管部门负责组织;100万 m³ 以上的治沟骨干工程

竣工验收由黄河上中游管理局负责组织;项目区竣工验收由黄委会负责组织。

2.竣工验收应对上报的《竣工验收报告》、《复验报告》、附表、附图、附件进行全面审查。

3.小流域要在自验和复验的基础上逐条提出竣工验收报告。

4.治沟骨干工程在自验和复验的基础上逐座进行,验收合格者颁发合格证。

5.项目区竣工验收在自验和复验的基础上进行随机抽样检查复核。

五、验收成果

(一)小流域综合治理竣工总结报告

1.文字部分:小流域概况(地理位置、人口、土地总面积、农业劳动力、项目实施前土地利用及治理状况等)、治理规划及完成的各项治理措施数量、工程量、治理面积、治理进度;投资结构、资金使用形式、投资比例,单位面积造价、投工投劳;取得的各项效益(粮食总产、基本农田、人均产粮、人均纯收入、产业结构、植被覆盖、各类措施拦蓄径流、拦蓄泥沙等增长情况);工作经验等。

2.附图:1/10 000水土流失与土地利用现状图、治理措施规划图、竣工验收成果图。

3.附表:治理前后社会经济情况表、土地利用结构表、水土流失状况表、治理措施规划与完成情况表、投资使用与概算表、综合效益调查表、各类措施竣工验收表等。

4.附件:历年年度检查报告、经费使用情况报告、效益计算专题报告、专题调查研究报告等。

(二)治沟骨干工程竣工总结报告

1.文字部分:工程概况及主要技经指标,承建单位完成工程量、施工质量控制、投劳投资投物、工程效益、工作经验等。

2.附表：工程概况及主要技经指标表，工程量、投工、投资预决算表等。

3.附图：坝系规划图、全部工程设计图、竣工图等。

4.附件：设计变更和修改设计文件、隐蔽工程验收记录、施工记录和质量检验记录、单项工程验收鉴定书等。

(三)项目区竣工总结报告

1.文字部分：项目区概况、治理规划，并依据各小流域综合治理竣工验收报告，汇总项目区各项治理措施完成数量、工程量、治理面积、治理进度、投资投劳、综合效益、工作经验等。

2.附图：以项目区内各小流域竣工验收所附三张图为依据，经复照缩小比例尺拼图，编绘出项目区水土流失与土地利用现状图、治理措施规划图和竣工验收图。

3.附表：汇总项目区内各小流域竣工验收各种附表数据，制成同类附表。

4.附件：项目区内各小流域规划竣工报告及附图、附表、历年年度检查报告、经费使用情况报告、专项调查报告等。

六、验收评价及奖惩

1.依据验收标准，对项目区及小流域综合治理、治沟骨干工程作出全面评价，对验收合格的项目区、小流域、治沟骨干工程颁发《竣工验收合格证书》。项目实施单位应按黄委会制定的统一格式，在项目区或工程的明显位置，树立黄河水土保持生态工程标志碑。

2.对项目建设成绩突出、质量标准高、效益好的项目区所在县给予表彰和物质奖励；验收不合格的工程项目，工程实施单位必须根据验收组的要求，在规定的时间内予以纠正和改进，未完成纠正和改进任务或不进行纠正和改进的，除通报批评并责成当地政府对有关单位和人员进行处理外,将不再安排相应地区的其他黄河水土保持生态工程项目。

3.按附表1、附表2、附表3评出等级并作出评价。

七、后期管理

(一)原则

贯彻"谁治理、谁管理、谁受益",日常维护管理和重点检查维护相结合原则。

(二)分级管理责任制

1.县级水土保持主管部门负责项目管理的监督、检查、技术服务。

2.项目验收后,由县向当地乡、镇进行移交并制定管理办法,建立以集体经济为基础的管护责任制,把管护承包到村、户。

3.在治理小流域内,乡(镇)政府负责监督落实各村、户管理责任制,制定分户管理办法和措施。

(三)管理内容

1.梯田及其他水土保持工程措施成果管理:重点抓好梯田埂坎、造林整地工程及淤地坝等沟道工程的维护,特别是淤地坝工程要确保安全度汛。同时保护好工程设施的地埂植物及林草植被不被人为破坏。

2.经济林果管理:实行规模经营、集约经营,做好排灌设施及整地工程的维修养护。

3.水土保持林草管理:新种植幼林地实行封禁并做好抚育管理及病虫害防治工作。新种人工草地,严格管护制度,幼苗期加强田间管理。

4.水土保持效益管理:定点测算保土效益、蓄水效益、经济效益,追踪调查分析计算生态效益、社会效益、经济效益。

附表1

小流域单项治理措施竣工验收评分标准

序号	验收项目		验收内容	满得分分	赋分说明
1	治理成果 65分		开展集中连片，适度规模综合治理	5	
		梯田 15分	数量	7	完成计划85%以上6分，85%以下4分
			布局合理，集中连片，田面宽度，田坎高度和坡度，田边蓄水埂等符合设计要求	3	
	丘陵区、高原沟壑区、土石山区		道路规划符合设计要求，路面完整无塌陷破坏	3	
			植物护埂，地埂要保存率在95%以上	2	完成计划80%以上1分，80%以下0分
		水保林 12分	数量	4	完成计划85%以上3分，75%~85%2分，75%以下1分
			采取工程整地措施，质量符合设计要求	2	
			适地适树，造林密度符合设计要求	2	
			严格封禁，有专人管护，无人畜破坏	2	
			树木生长良好，保存率在70%以上	2	
		经果林 9分	数量	3	完成年度计划85%以上2分，70%~85%1分，70%以下0分
			树种选择得当，造林密度符合设计要求	1	
			经果林地种草或套种氮肥达60%以上地面覆盖	1	
			林木生长良好，保存率在80%以上	4	完成年度计划75%~80%3分，70%~75%2分，70%以下0分

续附表1

序号	验收项目	验收内容	满得分分	赋分说明
		数量	4	完成计划85%以上3分,75%~85%2分,75%以下1分
	人工种草 9分	草种选择得当,种草密度符合设计要求	1	
		有严格管护制度,无人畜破坏现象发生	二	
		保存率在70%以上,草地覆盖度达60%以上	3	
	封禁治理 5分	有明确封禁制度和相应乡规民约,专人专管责任落实,无破坏林草事件发生	1	
		按设计要求,进行了补植、补播、平茬复壮等抚育措施	2	
		封禁后灌草贴地覆盖度80%以上,水土流失明显减轻	2	
	淤地坝小型蓄水工程 10分	设计及施工质量符合设计要求	5	
		有健全管护制度,落实专人管理,对工程出现裂缝、沉陷等问题能及时处理	5	

续附表 1

序号	验收项目		验收内容	满得分分	赋分说明
1	治理成果65分	风沙区治理	集中连片,适度规模治理	5	1项内容达不到要求扣1分
			沙障布置位置、形式,使用材料,施工方法,质量均符合设计要求	4	
		防风固沙林25分	全面完成计划任务	5	完成计划任务90%以上4分,85%以上3分,80%以下1分
			树种选择得当,苗种质量合格	3	无苗种质量合格证扣2分
			造林或种草,施工质量符合设计要求	3	
			保存率达到80%以上	10	完成计划任务75%~79%8分,70%~75%6分,70%以下4分
		农田防护林15分	林带走向、宽度、林型符合设计要求	2	基本符合设计要求2分
			全面完成计划任务	5	完成计划任务90%以上4分,85%以上3分,80%以下1分
			树种选择得当,苗种质量合格	2	无苗木质量合格证扣1分
			造林施工质量符合设计要求	3	
			保存率达到80%以上	3	完成计划任务75%~80%2分,70%~75%1分,70%以下0分
		引水拉沙造田20分	规划设计合理,措施配置得当	3	部分质量不符合设计要求1分
			全面完成计划任务	7	完成计划任务90%以上6分,85%以上5分,80%以上4分,75%以上3分
			配套工程齐全,施工质量符合设计要求	5	工程配套不齐全2分
			有灌溉设施质量符合设计要求	5	

续附表 1

序号	验收项目	验收内容	满分	得分	赋分说明
2	资金管理 10分	严格执行有关财务管理规定,做到专款专用	3		
		国补资金和地方匹配资金按规定落实到位并进人项目专账	3		
		建有经费兑现制度并认真执行	2		
		竣工决算已经批复并通过竣工审计	2		
3	预防监督 5分	严格执行《中华人民共和国水土保持法》《中华人民共和国森林法》及有关地方性法规、规范性文件	1		
		各项责任制和政策已落实,治理成果得到巩固	2		
		没有发生毁林毁草、陡坡开荒事件	1		
		25°以上陡坡地已退耕还林还草	1		
4	档案资料 5分	建有档案制度,有专人管理	1		
		技术文件,原始资料及计算成果及时归档,做到齐全完整,准确和系统	2		
		做到分类建档	2		

续附表 1

序号	验收项目	验收内容	满分	得分	赋分说明
5	后期管理 10分	分级管理责任制落实	2		总分在90分以上为优秀;80~89分为良好;70~79分为合格;小于70分为不合格
		工程设施保护好,沟道工程安全度汛	3		
		林草措施实行封禁并做到抚育	3		
		定点观测保土、蓄水、经济效益	2		
6	治理效益 5分	人均粮食基本自给,人均纯收入比当地平均增长水平高	1		
		流域缓洪减沙效益达到设计标准	2		
		林草覆盖度达到设计要求,生态环境明显改善	2		
	合计		100		

注:特殊地区无表列某项治理措施时,该项措施的分值分摊到其他措施中。

附表 2　　单项工程(治沟骨干工程)竣工验收评分标准

序号	验收内容	满分	得分	赋分说明
1	①工程竣工报告、竣工图纸、竣工项目清单;②施工监理资料、施工记录、质量检验记录;③阶段验收和单项工程验收鉴定;④全部工程设计文件、图纸;⑤上级批准文件等,资料齐全并符合要求。	15		①②③④⑤各3分
2	土坝、涵卧管及溢洪道基础开挖、土方回填及其质量测定方法符合设计要求。	25		1项不符合要求扣5分
3	①土坝坝体无纵横裂缝,沉陷度符合规范要求;②无滑坡等毁损现象,迎水坡无风浪冲刷,背水坡无散浸及集中渗漏;③坝坡浸润线逸出无管涌和流土,排水导渗正常。	25		1项不符合要求扣8分
4	①溢洪道两岸无滑坡预兆;②墙体或底板无损坏;③闸门及启闭设备运用正常。	15		①②③各5分
5	①坝坡种草或灌木覆盖;②坝体两端取土场和山坡已整理并采取防止水土流失措施。	10		①②各5分
6	有管护组织,落实管护人员,工程安全运行。	10		
合计		100		总分在90分以上为优秀;80~89分为良好;70~79为合格;79分以下为不合格

附表 3　　　　　　　项目区竣工验收评分标准

序号	验收内容	满分得分	赋分说明
1	①全面完成项目区治理任务；②各项治理措施符合验收质量要求；③治理程度达到设计要求。	30	①②③各 10 分
2	项目区内小流域全部达到优秀。	20	全部合格 10 分,全部良好 15 分。70% 以上优秀 17 分,50% 以上优秀 15 分。70% 以上良好 13 分,50% 以上良好 12 分
3	①措施布局合理,形成综合防护体系；②工程设施完好率在 90% 以上；③植物措施保存面积达到设计面积的 80% 以上。	10	①3 分②3 分③4 分
4	①土地利用率达到设计标准；②土地产出率达到设计要求。	10	①②各 5 分
5	①人均粮食达到自给；②人均纯收入比当地平均增长水平高。	10	①②各 5 分
6	各项治理措施的使用、管护、受益等方面承包责任制落实,治理成果得到管护、巩固、提高。	10	
7	①项目区内没有毁林毁草、陡坡开荒破坏事件；②开矿、修路等基本建设,均采取了有效水土保持措施。	10	①②各 5 分
合计		100	总分在 90 分以上为优秀;80~89 分为良好;70~79 分为合格;小于 70 分为不合格

八、附 则

1.本办法自颁布之日起执行。
2.本办法由黄河水利委员会负责解释。

（编写人员：刘正杰、刘景发、秦鸿儒、刘志刚）

黄河流域水土保持生态环境
建设管理工作暂行意见*

为了深入贯彻落实中共十五届三中全会和中央 15 号文件精神,推动黄河流域水土流失防治和生态环境建设工作,进一步规范通过黄河水利委员会(以下简称黄委会)投资或补助投资的水土保持生态环境建设工程项目的管理程序及要求,明确管理职责,根据水利部和黄委会已颁发的有关文件和规定,对黄河流域水土保持生态环境建设管理提出如下意见。

一、规范项目名称和管理层次

1.黄河流域水土保持生态环境建设工程项目(以下简称为黄河水保工程),包括重点支流(片)治理、示范区建设、治沟骨干工程、沙棘资源建设与开发利用、预防监督、支持服务系统等。各项目下设不同的单项工程(见附表 1)。项目内容的调整由黄委会决定。

2.黄河水保工程实行统一规划、分级管理、分期建设。按规划立项,按项目管理,按设计组织施工,按工程进度拨款,按标准验收。

3.本工作意见仅确定黄委会、黄河上中游管理局(简称上中游管理局,下同)和省(自治区)水土保持主管部门(简称省(区)主管部门,下同)对黄河水保工程的管理职责、工程程序与要求。省级以下水土保持主管部门对黄河水保工程的管理职责、工作程序与要求参照本意见,由各省(区)主管部门商上中游管理局制定。

---

　* 本意见以黄规计[1999]25 号文下发。

二、明确立项程序

1. 黄河水保工程的立项,指黄河水保工程分期分批实施方案的立项。立项工作一般每5年进行一次,提前两年开始申报。按照《黄河流域黄土高原地区水土保持建设规划》《黄河流域黄土高原地区水土保持建设实施规划》、各专项水土保持工程规划确定的范围和内容,分批安排项目。每次立项前,由黄委会规划计划局(以下简称黄委会计划局)会同黄委会水土保持局(以下简称黄委会水保局)编制立项任务书,对立项的规模、主要内容、范围、基本格式等提出要求,下达控制指标,根据立项任务书,编制立项建议书。由于国家投资增加而需进行补充立项时,由黄委会计划局另行通知。

2. 项目立项要遵循"保证重点、集中连片、突出效益"的安排原则。在区域上以多沙粗沙区为重点,以黄河重点支流为骨架,项目要集中设置,按规模实施,合理布局。综合治理项目安排的县域要相对连片,县域中分期分批安排小流域,每条小流域治理期限一般为3~5年;治沟骨干工程建设要以小流域为单元进行坝系布设,优先安排配套综合治理项目,新建的单坝建设期为1~2年,旧坝加高加固的单坝建设期为1年;示范区要以各水土流失类型区为单位进行,由黄委会和上中游管理局按有关规划选定,建设期为3~5年;沙棘资源建设与开发利用项目建设期为3~5年;水土保持预防监督、支持服务系统建设期一般为1~3年。

3. 各省(区)主管部门统一编制综合的立项建议书,于立项申报年的5月底前报上中游管理局。黄河流域水土保持示范区的立项建议书单独编制。

上中游管理局邀请黄委会、各省(区)及局内有关专家,就立项项目进行现场考察、论证,在此基础上对各省(区)立项建议书进行审查,并汇总编制本期(批)的黄河水保工程立项建议书,于8月底前报黄委会。

4. 黄委会水保局对黄河水保工程立项建议书的建设内容、规模、布局等组织技术审查,提出审查意见,于 10 月底前送黄委会计划局,由黄委会计划局进行综合审查,并于 12 月底前批复至上中游管理局。

5. 上中游管理局在接到黄委会对立项建议书的正式批复意见后,于 1 个月内分解批复至各省(区)主管部门。

三、做好规划设计

1. 立项建议书批准后,省(区)主管部门要立即组织开展相应项目和单项工程的规划设计工作,于项目实施前一年的 6 月底前完成,并将需要报批的规划设计文件正式报上中游管理局。

2. 规划设计的承担单位,必须具有国家认定的水利水电工程勘测、设计资质证书。其中承担示范区总体规划、流域面积在 100 平方公里以上(含 100 平方公里)的流域综合治理规划和坝系设计、库容在 100 万立方米以上(含 100 万立方米)的治沟骨干工程单坝设计的单位,勘测设计资质必须在乙级以上(含乙级)。

3. 黄河水保工程项目及其单项工程的规划设计,由省(区)主管部门组织审查,上中游管理局负责核批。个别项目的规划设计,可由上中游管理局或黄委会直接负责审批。

4. 上中游管理局接到省(区)主管部门上报的规划设计文件后,组织专家进行核查,并于 8 月底前将核查意见反馈给省(区)主管部门,由后者进行修改、补充和完善。省(区)主管部门在 9 月底以前将修改后的规划设计文件重新报上中游管理局。上中游管理局于 10 月底前对重新上报的规划设计文件进行批复,同时报黄委会备案。

5. 黄河水保工程的有关项目和单项工程规划设计的内容和要求,由上中游管理局统一规定,报黄委会备案。

四、加强计划管理

1. 省(区)主管部门依据批准的立项建议书和项目规划设计,于每年5月底前编制下年度建议计划,报上中游管理局。上中游管理局于7月初将各省(区)建议计划汇总后报黄委会,黄委会计划局商黄委会水保局对建议计划项目审查后报水利部。

2. 各省(区)在建议计划报出后,要组织有关人员对项目实地查勘,落实工程建设的施工前期准备、配套资金、群众投劳等工作,按"轻重缓急"排出工程建设项目顺序,为年度计划安排和实施打好基础,并在单项工程设计的基础上,做好备用项目的储备,以便在投资增加时,保证项目的尽快落实。

3. 黄委会计划局接到水利部下达的年度投资规模指标后,根据建议计划,商黄委会水保局提出各项目建设规模和各省(区)的规模指标方案,于半月内下达上中游管理局,上中游管理局10日内传达至各省(区)主管部门。

4. 省(区)主管部门在已报建议计划的基础上,于15日内编制本省(区)本年度工程建设计划,报上中游管理局。上中游管理局进行审查、平衡、汇总后报黄委会。

5. 黄委会计划局商黄委会水保局对年度投资计划安排意见的项目布局、规模、进度等内容进行审查,必要时可协调上中游管理局进行修改完善,提出年度计划意见。在部批计划下达后1月内(需报部审批的项目除外),将计划审批下达到上中游管理局。上中游管理局在接到计划1月内,将计划下达至省(区)主管部门。

6. 列入年度计划的项目,必须要有项目所在地县级人民政府出具的保证地方匹配资金落实到位的承诺书。承诺书统一由省(区)主管部门与年度实施计划一同报上中游管理局。

7. 各级计划管理部门按程序履行计划管理职责。在项目计划执行过程中,任何单位和个人不得擅自变更、调整计划,确需调整的,按审批程序逐级申报调整计划,履行报批手续。

8.上中游管理局负责编制的建议计划和年度投资计划安排意见的具体格式和要求,由黄委会计划局会同黄委会水保局制定;省(区)负责编制的建议计划和年度投资计划安排意见的具体格式和要求,由上中游管理局按照黄委会制定的格式进行细化。

五、加强财务管理

1.省(区)主管部门根据工程进度,按时编报基本建设资金用款计划,向上中游管理局申请中央资金。上中游管理局根据黄委会下达的工程项目投资计划和省(区)主管部门上报的资金用款计划,汇总编报资金用款计划,申请拨款,并及时反映工程建设管理情况和工程完成情况,争取及时足额请拨资金。黄委会财务局根据上中游管理局上报的资金用款计划,结合资金到位情况,及时下拨黄河水保工程中央基本建设资金。

2.上中游管理局根据黄委会拨入资金情况,按照基本建设资金拨款的"四按"原则(基建程序、基建计划、基建支出预算或经济合同、工程进度),结合各省(区)项目匹配资金到位情况和上报的用款计划,综合平衡后,向省(区)主管部门合理分配,按工程进度及地方匹配资金同步到位的原则下拨中央资金。省(区)主管部门要及时向工程建设单位拨付中央资金,合理组织资金供应,保证工程用款。

3.省(区)主管部门负责落实本省(区)黄河水保工程项目的地方匹配资金。在收到上中游管理局下达的投资计划后,于一个月内将落实的匹配资金存入项目建设单位开户银行,并将资金存款证明统一上报上中游管理局。

4.黄河水保工程按项目进行核算。项目建设单位必须按照上级部门批准的建设项目和年度计划,在核定的投资额度内支用建设资金。各级主管部门要加强建设资金的管理,按照《会计基础工作规范》要求,正确计算工程成本,建立健全成本核算的有关原始记录,确保会计核算的真实、完整,保证专款专用。

5.省(区)主管部门、上中游管理局、黄委会财务局要按照有关规定和各自的管理范围,按时、完整地编报和汇总黄河水保工程项目财务月报、季报、年度决算和基建财务竣工决算等各种财务报表。

6.上中游管理局应结合实际,制定黄河水保工程项目财务管理办法,对省(区)主管部门和直属单位的财务管理作出具体规定。省(区)主管部门根据上中游管理局的财务管理规定,制定本省(区)黄河水保工程项目的财务管理办法。

六、加强项目实施管理

1.各级管理单位要加强黄河水保工程项目的实施管理,在计划执行、财务管理、工程建设等方面严格监督检查制度。各业务部门一般采取联合检查的方式。

2.黄委会对黄河水保工程项目的检查,一般每年进行一次。根据当年检查的重点,由主管主任指定有关业务部门牵头进行组织。检查的主要内容是:上中游管理局的计划执行情况,计划、财务、工程建设管理制度的建立和落实情况,资金使用效果,财经纪律执行情况等。延伸检查或抽查到省(区)主管部门的管理工作和单项工程的合同管理、工程质量、施工进度、投资使用等。在必要时,黄委会可对上中游管理局、各省(区)主管部门和单项工程进行黄河水保工程的专项或综合财务审计。

3.上中游管理局对黄河水保工程的检查,一般每年上半年和下半年各进行一次。检查的主要内容是:各省(区)的计划执行情况,计划、财务、工程建设管理制度的建立和落实情况,建设单位和地方配套资金的落实情况,工程完成情况,工程监理,形象进度,治沟骨干工程的度汛方案等。延伸检查、抽查到省级以下管理单位和建设单位的管理工作以及单项工程的合同管理、规划设计、建设进度、质量、投资使用、财会制度、工程效益等。上中游管理局于每次检查结束后的一个月内,向黄委会提呈工程检查报告,同时向省(区)主管部门反馈整改意见。

4.省(区)主管部门负责黄河水保工程的技术指导、质量跟踪监督和日常检查,每年可根据各单项工程的实施情况不定期进行。监督检查的主要内容是:工程规划设计,工程建设单位的落实情况,地方配套资金的到位与落实情况,单项工程的合同管理,工程监理制度的执行,工程施工进度和工程质量统计,治沟骨干工程的度汛方案和准备工作,工程投资使用情况等。每次检查结束后,应于一个月内向上中游管理局提呈工程检查报告(或分阶段,每年最少3次)。

5.黄河水保工程要逐步推行以工程监理为主要内容的建设体制改革。监理工作由黄委会水利工程建设监理管理中心统一负责组织和管理,承担监理工作的单位和人员必须具有国家颁发的监理资质证书。治沟骨干工程、沙棘资源建设与开发利用项目中的部分单项工程和示范区建设项目,可作为试点,首先积极开展和探索水土保持工程监理工作。

七、完善报表与情况联系制度

1.省(区)主管部门、上中游管理局要按照国家基本建设要求和黄委会的有关规定,按时、准确、全面地填报黄河水保工程的各项水土保持统计报表,经主管领导审查签字或盖章,并加盖单位公章后按规定程序逐级上报。

2.黄河水保工程实行日常情况联系制度和重要事项报告制度。日常情况联系制度以表格、总结报告、调研报告形式反映。表格形式按黄委会黄水保[1998]6号《关于实行水土保持工程建设情况联系制度的通知》执行。总结报告分半年总结、年度总结和阶段总结,省(区)主管部门应分别于每年 7 月 20 日前、下一年 1 月底前和阶段结束后的一个月内报上中游管理局,上中游管理局分别于上述时间后的一个月内报黄委会。调研报告指对项目专题情况进行调研后提交的报告,提交时间按阶段总结要求进行。

重要事项报告制度指对在项目实施过程中发生发现的各种重要情况随时进行报告的制度。报告分书面、电话报告两种形式。

3.报表、日常情况联系制度和重要事项报告制度中的数据和情况,必须保持一致性和连续性。各级管理单位需跨级别上报有关情况时,应同时抄报其上级管理单位。各级管理单位内部的各业务部门,应及时交流和通报本部门收集、整理、上报的有关资料和工作情况。

八、严格竣工验收制度

1.库容在 100 万立方米以上(含 100 万立方米)的治沟骨干工程单项工程,由上中游管理局组织验收,省(区)主管部门负责初验。黄河水保工程项目的其他单项工程的验收由省(区)主管部门组织,上中游管理局参与。每期(批)的黄河水保工程分项目由上中游管理局负责初验,黄委会计划局会同黄委会水保局组织终验。项目初验和单项工程的初验、验收办法统一由上中游管理局另行制定,项目终验办法由黄委会计划局另行制定。

2.黄河水保工程各单项工程要在工程完工的当年进行初验,完工后一年进行验收。黄河水保工程项目的初验在每项目完工后一年的上半年进行,终验在完工后一年的下半年进行。

3.黄河水保工程的初验和验收应由验收的主管部门组织成立验收小组或验收委员会,其成员由项目的水土保持、计划、财务、审计、科技、规划等部门的领导和技术人员组成,必要时可邀请上级主管部门和有关专家参加。

4.工程竣工后,建设单位负责向组织工程初验的主管部门、工程初验主管部门负责向组织验收的主管部门依次提出验收申请，并提交相应的文件资料。初验和验收主管部门对相关验收资料初步审核后，分别组织初验和验收。工程初验不合格的，不能进行验收和终验。

5. 工程初验和验收主要依据批复的立项建议书、规划报告、设计文件、合同文本、计划下达与批复文件和国家颁发的有关技术规范、规定和标准进行。

6. 为明确黄河水保工程项目的建设责任，实施单位应在工程竣工验收后的 2 个月内，按统一制定的格式，在项目区或工程的明显位置，树立黄河水保工程标志牌。黄河水保工程标志牌的格式由黄委会水保局统一制定。

7. 验收不合格的工程项目，工程实施单位和建设单位必须按验收组的要求，在规定时间内予以纠正和改进，未完成纠正和改进任务或不进行纠正和改进的，除按规定对有关单位和人员进行处理外，将不再安排相应地区的其他黄河水保工程项目。

8. 黄河水保工程项目验收后，工程所在地的各级政府和水土保持业务主管部门要明确项目和工程产权，制定切实可行的管理管护制度，落实管理单位和责任人，保证工程项目的正常运用和效益的发挥。省(区)主管部门要督促管理管护制度的落实，并不定期地组织对工程项目情况的跟踪调查和效益评估，向上级管理单位提交跟踪调查报告。

附表1　　　　　　　　黄河水保项目分类

序号	项目	单项工程	备注
1	重点支流（片）治理	小流域综合治理	即水保综合治理,其中的治沟骨干工程、沙棘资源建设内容分别列入3、4项
2	示范区建设	小流域、重点片等	其中治沟骨干工程、沙棘资源建设分别列入3、4项
3	治沟骨干工程	单坝	以坝系为单元立项
4	沙棘资源建设与开发利用	沙棘种植片、示范县等	跨小流域者以小流域为单项工程
5	预防监督	执法试点县等	其他依具体建设内容确定单项工程
6	支持服务系统	科研、监测项目等	其他依具体建设内容确定单项工程

（编写人员：王文善、鲁小新、李　梅、秦鸿儒、刘正杰、陈爱芳、朱小勇）

黄河水土保持生态工程基建
前期工作管理意见[*]

为提高黄河水土保持生态工程基建前期工作的科技含量,规范水土保持生态工程基建前期工作的管理,保证水土保持基建项目的顺利实施,结合近两年国家关于水利计划管理的新要求,依据中华人民共和国国家标准《水土保持综合治理规划通则》、水利部《水利前期工作计划管理办法》和黄河水利委员会关于水利前期工作项目管理的有关文件精神,特提出黄河水土保持生态工程基建前期工作管理意见。

一、黄河水土保持生态工程基建前期工作阶段划分

按照基本建设程序,结合黄河水土保持生态工程建设项目的特点,今后黄河流域水土保持生态工程基建前期工作划分为规划、可行性研究(含项目建议书)、初步设计三个阶段,对治沟骨干工程还要求进行技术施工设计。前期工作必须按照阶段顺序进行,在阶段成果没有审批前,不得擅自开展下一阶段的工作。

二、黄河水土保持生态工程基建前期工作的阶段性要求

(一)规划阶段

以黄河的重点支流为单元编制规划。本阶段着重调查分析规划支流的自然、社会经济、水土流失基本状况,说明水土保持治理现状和现有水土保持项目进展情况;提出支流水土保持综合治理或重点项目的整体目标、关键措施、进度安排及分期建设的项目

---

*　本意见以黄规计[2000]10号文下发。

区;按照有关规程规范进行投资估算和效益评估等。

(二)可行性研究阶段

以批准的支流规划为依据,选定开展的项目区,以地(市)为立项单位,按照可行性研究阶段的要求开展工作。主要内容包括项目区措施布局及阶段建设规模论证、小流域组合及建设内容安排、项目实施的组织设计等。并按照有关投资的编制依据和经济评价方法,进行工程投资估算和经济效益评估。

(三)初步设计阶段

依据批准的可行性研究报告,按照有关设计规程、规范和水土保持治理技术规范的要求,以小流域为单元进行综合设计,并按建设内容进行单项设计及施工安排等。初步设计报告除治沟骨干工程外均要满足施工要求。

(四)技术施工设计阶段

依据批准的初步设计,按照有关设计规程、规范对技术施工设计阶段的要求,开展治沟骨干工程技术施工设计。

三、黄河水土保持生态工程基建前期工作的设计资质

按照水利部、建设部的有关要求,前期工作必须由具有一定资质的设计单位承担。结合黄河水土保持生态工程基建前期工作项目的有关要求,对不同阶段的设计资质要求如下:

规划阶段必须具有国家认定的水土保持规划设计(或水土保持方案编制)甲级资质证书,可行性研究阶段必须具有国家认定的水土保持规划设计(或水土保持方案编制)乙级以上(含乙级)资质证书,初步设计和技术施工设计阶段必须具有国家认定的水土保持规划设计(或水土保持方案编制)丙级以上(含丙级)资质证书。

重要的单项工程设计必须具有国家认定的水土保持规划设计(或水利水电工程勘测设计)乙级以上(含乙级)资质证书。

编制单位要按照前期工作的基本程序编制前期工作项目不同

阶段的任务书、工作大纲和技术报告。

四、黄河水土保持生态工程基建前期工作管理程序

(一)项目管理内容

水土保持生态工程基建前期工作的项目管理包括:前期工作项目任务的安排、任务书的审定及项目计划的下达、工作大纲的编制及审批、中间成果的检查、技术成果的审批。

(二)管理程序

1. 规划阶段

由黄河水利委员会(以下简称黄委会)根据黄河水土保持生态工程的建设情况,提出规划阶段前期项目,黄河上中游管理局(以下简称上中游管理局)应依据有关规程负责组织设计单位编制任务书、工作大纲和规划报告并报黄委会。黄委会有关部门负责前期工作任务书的审批和项目计划的下达,上中游管理局负责项目计划的实施。

规划阶段前期项目工作大纲的审批、中间成果的检查、规划报告的审查由黄委会会同有关省(区)水土保持主管部门组织完成。黄委会负责规划成果的批复。

2. 可行性研究阶段

由上中游管理局依据批准的规划提出可行性研究阶段项目任务。报黄委会同意后,由上中游管理局会同项目所在省(区)水土保持主管部门负责组织设计单位编制任务书、工作大纲和技术报告,并负责对任务书、工作大纲的审批和技术报告的初审。黄委会负责可行性研究报告的审批。

3. 初步设计

依据批准的可行性研究报告,项目主管单位或部门应根据项目性质和规模,确定或组建建设单位,由建设单位组织设计单位编制初步设计报告。初步设计成果由项目所在省(区)水土保持主管

部门进行初审,上中游管理局负责审批。初步设计批复文件报黄委会备案。

4.技术施工设计

建设单位依据上中游管理局关于初步设计成果的批复文件,负责委托设计单位编制技术施工设计,并报项目主管单位审批。

五、黄河水土保持生态工程基建前期工作的经费筹措

水土保持生态工程基建前期工作规划阶段的工作经费由黄委会负责筹措。可行性研究阶段的工作经费原则由省(区)筹措,黄委会适当予以补贴。初步设计和技术施工设计阶段的工作经费按有关规定在工程概预算中列支。

本管理意见由黄河水利委员会负责解释,自印发之日起执行。

(编写人员:鲁小新、杨希刚、张彦军、朱小勇、李 梅)

黄河水土保持生态工程
施工监理暂行规定*

第一章 总 则

第一条 为加强黄河水土保持生态工程建设管理,规范建设行为,提高建设水平,发挥投资效益,适应基本建设"三项制度"要求,根据国家有关法律、行政法规,结合黄河流域水土保持生态工程建设特点,制定本规定。

第二条 本规定适用于通过黄河水利委员会投资或补助投资的黄河水土保持生态工程建设项目。本规定以工程施工监理为主要对象,其他阶段监理工作的要求另行制定。

第三条 黄河水土保持生态工程建设监理的主要依据有:国家颁布的有关法律、法规和技术规范,项目主管部门批准的建设文件、设计文件,建设各方依法签订的合同,以及有关补充依据等。

第四条 监理单位和监理人员,必须严格遵循守法、诚信、公正、科学、廉洁、自主的原则,维护国家利益和建设各方的合法权益。

第五条 实施施工监理一般应按以下程序进行:

1. 编制项目施工监理规划。

2. 按工程建设计划进度及不同水土保持治理措施分专业编制监理实施细则。

3. 按照监理规划和实施细则实行监理。

4. 项目监理业务终止后,向黄河上中游管理局、省(区)主管部

---

* 本规定以黄规计[2001]32号文下发。

门及建设单位提交监理工作报告,并向建设单位移交监理档案资料。

第六条　施工监理工作,分为施工准备、项目实施和保修期三个阶段。各阶段的主要监理任务包括:

1.施工准备阶段:建设单位应在选定施工单位之前与监理单位签订监理合同,并组织其介入工程建设,参加并协助有关工程的招标工作;监理单位应在合同规定的开工日期前适当时间,派出能够满足工作要求的人员进驻工地,以群众投劳的动员、组织及基层施工人员政策培训和技术培训为重点,开展对施工准备工作的监理,督促参建各方抓紧做好各项开工准备,保证如期顺利开工。

2.项目实施阶段:工程开工时,监理单位应按照监理合同约定的现场监理机构与人员,全部进驻现场,加强对投资、质量、进度的控制,建立健全监理信息管理系统,协调建设各方关系,保证项目建设目标的圆满实现。

3.保修阶段:监理单位应配备专人留驻现场;继续做好工程完善、收尾等有关监理工作,并提交监理工作报告,协助开展竣工验收。

第二章　监理组织与监理人员

第七条　承担黄河水土保持生态工程施工监理业务的单位,必须有法人资格,有营业执照,有《水利工程监理资质等级证书》,并具有水土保持生态工程监理资历。

第八条　中央投资在 2 000 万元以上(包括 2 000 万元)的黄河水土保持生态工程项目,由黄河水利委员会负责择优选择承担监理任务的监理单位;其他项目由黄河上中游管理局或受其委托由有关省(区)主管部门或建设单位负责选择承担监理任务的监理单位。在选择监理单位时,原则上应采用竞争方式。

第九条　监理单位按照监理合同内容及项目区情况,设置一级或两级至三级的监理机构,进驻现场执行施工监理业务。监理机构由总监理工程师(以下简称"总监")、专业监理工程师、监理员及必要的行政、服务人员组成。

监理机构实行总监负责制。总监由监理单位提名并经黄河上中游管理局同意后任命。总监是项目监理机构履行监理合同的总负责人,行使监理合同授予的权力,同时承担相应责任。二级监理机构负责人由总监任命并报监理单位和建设单位备案。专业监理工程师、监理员及行政服务人员,在总监领导下,按照授权和分工范围开展工作。

第十条　总监、监理工程师和监理员必须具有相应的资格。

1. 总监应取得《水利工程建设总监理工程师岗位证书》,对水土保持技术有较全面、系统的知识,并有水土保持项目监理资历。

2. 监理工程师必须取得《水利工程建设监理工程师资格证书》(或《水土保持生态建设工程监理工程师资格证书》)和《水利工程建设监理工程师岗位证书》,熟悉水土保持相关技术,并有水土保持生态工程项目监理经历。

3. 监理员必须取得《水利工程建设监理员岗位证书》(或《水土保持生态建设工程监理员岗位证书》),掌握水土保持专业技术。

第三章　监理合同

第十一条　监理单位与项目建设单位应依法签订建设监理合同,并须报黄河上中游管理局备案。

第十二条　监理合同应以《黄河流域水土保持生态工程建设监理合同文件编制须知》(见附录 A)为依据,由建设单位与监理单位平等协商一致后签署。

第四章 监理规划与实施细则

第十三条 监理机构应在总监指导下编制黄河水土保持生态工程施工监理规划。监理规划在征得建设单位同意后,报原监理单位的选定单位审批。监理规划的内容一般应包括项目简述、监理机构与工作制度、监理工作方法和要求、监理工作用表格式和填报方法要求、监理人员花名册等(见附录 B)。

第十四条 专业监理工程师应在监理规划指导下,按照项目建设进度,分别编制各专业的监理工作实施细则,经总监批准后执行,并报建设单位备案。

第十五条 监理工作实施细则的内容,应按照水土保持生态工程施工中各专业特点、各施工监理阶段的需要确定(一般要求见附录 C)。

第五章 监理信息

第十六条 监理机构要认真做好《监理日志》,保持其及时性、完整性和连续性。应定期向建设单位提供监理工作月报及监理范围内的专题报告(内容要求详见附录 D)。

第十七条 监理机构要按季度向黄河上中游管理局提交项目监理工作报告(内容要求见附录 E),黄河上中游管理局对各项目区监理工作报告进行汇总后上报黄河水利委员会。

第六章 监理工作的监督管理

第十八条 黄河流域水土保持生态工程建设监理工作,由黄河水利委员会、黄河上中游管理局和各省(区)水土保持主管部门,依照各自职权分级进行监督管理。

1.黄河水利委员会依照有关法律、法规,对黄河水土保持生态工程建设监理工作实施监督管理。包括中央投资在2 000万元以上项目监理单位的选择,总监人选和监理规划的审批等;对各项目进展情况和监理机构、监理人员工作情况等进行监督检查。

2.黄河上中游管理局负责黄河水土保持生态工程的日常监督管理工作,以及中央投资在2 000万元以下项目监理单位的选择,总监人选和监理规划的审批等。

3.各省(区)水土保持主管部门按照黄河水利委员会和黄河上中游管理局的总体要求,对本省(区)的监理工作进行监督。

第十九条 建设单位依据监理合同、监理规划,对现场监理机构设置、主要监理人员实际到位与工作情况(包括出勤、履约、执法、守纪等方面的业绩和存在问题)进行检查。对成绩优异者,按照监理合同予以奖励;对不坚守岗位和不能胜任的监理人员向监理单位提出更换;根据授权或委托,参与对违规、违纪者的调查处理等。

第二十条 黄河水土保持生态工程质量监督部门,依照有关法律、法规、施工与监理合同规定,对工程项目监理单位有关质量控制制度、建立与执行,检测设备的数量、性能与运用,技术规范与操作规程的遵守,施工、监理人员资质审查等方面进行检查,以及采用重复检测和平行试验等方式,对现场监理机构和监理人员签认的质量检测评定结果,进行一定比例的抽检复核。

第二十一条 所有直接、间接与监理单位和监理人员接触的人,都有检举揭发其违规、违纪、违法情况的权利。

第二十二条 监理单位必须遵守以下基本规则:

1.必须按照批准的资质等级和经营范围承揽工程建设监理业务,并在工作中做到清正廉洁,秉公执法。

2.不准转让或违法分包工程监理业务;不准允许其他单位或

个人以本单位名义承揽工程监理业务；不准聘用无监理岗位证书的人员从事监理业务。

3.禁止承担有碍本单位公正履行合同的建设项目的监理业务；禁止从事或参与被监理工程的施工、材料、构配件、机械、设备等的经营活动。

4.严禁与建设单位或施工单位串通，弄虚作假，牟取非法利益。

第二十三条 监理人员必须遵守以下基本规则：

1.必须具有上岗资格，持证上岗，坚守岗位，遵纪守法，秉公办事，一丝不苟。

2.不准一人在两个或两个以上的监理单位注册、执业；不准擅离岗位，玩忽职守；不准接受建设单位和被监理单位或个人馈赠、宴请。

3.禁止在影响公正执行监理业务的单位兼职或执业；禁止参加被监理工程施工、材料供应等有关经营活动或为自己的亲友充当参加上述活动的中介人。

4.严禁与被监理单位或建设单位及其人员串通，弄虚作假(隐瞒工程缺陷或事故，虚报进度，涂改或伪造试验、检查结果，虚开计量支付凭证)，偷工减料，以次充好，牟取私利。

第二十四条 监理单位、监理人员在工作中模范遵守各项规章制度，成绩卓著或在某方面贡献突出者，由建设单位根据监理合同约定或有关规定给予奖励，由各级主管单位酌情给予表彰。

第二十五条 因监理单位或监理人员过失造成项目投资各方直接经济损失，由监理单位依据有关规定向相应投资方赔偿。

第二十六条 监理单位或监理人员违规违纪的，必须根据事实情节与后果，按照国家有关规定给予处罚；若造成重大质量、安全事故，或违法乱纪情节恶劣，构成犯罪的，对直接责任人依法追究刑事责任。

第七章　监理报酬

第二十七条　监理费用按国家有关规定,在工程概算中作为一级项目费用单独列支。

第二十八条　工程建设监理费可用于监理工作中的直接、间接成本开支、缴纳税金和合理利润。监理单位应加强收支管理,自觉接受物价和财务监督。

第八章　附　则

第二十九条　有关不同水土保持防治单项措施或单项工程的监理技术细则另行制定。

第三十条　本规定由黄河水利委员会负责解释。

第三十一条　本规定自颁布之日起施行。

附录 A

黄河水土保持生态工程施工监理
合同文件编制须知

1.《黄河水土保持生态工程施工监理合同文件》,由《黄河水土保持生态工程施工监理合同书》(见附件1)及若干其他文件组成。

2.“通用合同条款”(见附件2)适用于各类建设项目的建设监理委托,各建设单位和监理单位都应遵守。“通用合同条款”应全文引用,条款内容不得变更。若确因“示范文本”未能覆盖工程等特殊条件而需要变更内容时,应报主管部门审批。

3.“专用合同条款”(见附件3)是针对具体工程项目特定的条件、要求和设施环境,对“通用合同条款”作出的补充和具体说明。由建设单位和监理单位协商一致后填写,双方认为必要时,可根据工程实际情况进行修改和补充。

4.“监理范围”。在协商和写明监理工程范围时,一般要和工程项目总概算、单位工程概算所涵盖的工程范围相一致,或与工程总承包合同、分包合同所涵盖的工程范围相一致。

5.“监理内容”。首先要写明承担哪一个阶段(设计、施工)或全过程的监理业务;其次要写明委托阶段内的每一项具体监理工作内容,避免含混不清或遗漏;如果建设单位还要求监理单位承担一些咨询业务或事务性工作,也应详细列出。“监理内容”属于专用合同条款的内容,由监理合同双方协商一致确定后,列入专用合同条款。水土保持生态工程施工监理内容的一般要求见附件4。

6.“监理设施”。在填写由建设单位提供的设施和监理单位自备的设施时,一般指以下设施与设备:①测量仪器、工具;②试验仪器、设备;③检测设备;④气象观测设备;⑤电算设备(软件和硬件);⑥照像、录像设备;⑦打字、复印设备;⑧办公设施(房屋、桌、椅、柜等);⑨通讯设备(有线电话、传真、无线通讯设备);⑩交通设备;⑪生活设备(住房、家具、食堂、炊具等);⑫其他设备如电视、空调等。

　　7."资料信息提供"。监理机构应向建设单位及有关投资方提交的信息和文件清单,也属于专用合同条款的内容,由合同双方协商一致确定后,列入专用合同条款。应提供信息内容的一般要求见附录 D。

附件 1

黄河水土保持生态工程
建设监理合同书

建设单位：＿＿＿＿＿＿＿　　　合同编号：＿＿＿＿＿＿＿

监理单位：＿＿＿＿＿＿＿　　　签订地点：＿＿＿＿＿＿＿

签订时间：　　　年　　月　　日

依据《中华人民共和国合同法》，＿＿＿＿＿＿＿（以下简称建设单位）与＿＿＿＿＿＿＿（以下简称监理单位），就本项工程建设有关事项，经双方协商一致，订立本合同。

一、建设单位委托监理单位按本建设监理合同要求进行项目的建设监理。

（一）工程概况：

1. 工程名称：＿＿＿＿＿＿＿＿＿＿。

2. 工程地点：＿＿＿＿＿＿＿＿＿＿。

3. 工程规模及特性：＿＿＿＿＿＿＿＿＿。

4. 工程总投资：静态：＿＿＿＿＿＿＿＿＿。

　　　　　　　动态：＿＿＿＿＿＿＿＿＿。

5. 工程总工期：＿＿＿＿＿＿＿＿＿。

（二）监理范围：按照专用合同条款中约定的范围承担监理业务。

（三）监理内容：按照专用合同条款中约定的内容承担监理业务。

（四）工程建设监理的期限自＿＿＿＿＿年＿＿＿＿＿月＿＿＿＿＿日至＿＿＿＿＿年＿＿＿＿＿月＿＿＿＿＿日。

（五）建设监理报酬为（大写）＿＿＿＿＿＿＿＿元，由建设单位按本专用合同条款约定的方式、时间向监理人结算支付。

二、建设监理合同的组成文件及解释顺序。

（一）监理委托函或中标函。

（二）监理合同书。

（三）监理实施过程中双方共同签署的补充文件。

（四）专用合同条款。

（五）通用合同条款。

（六）监理招标书（或委托书）。

（七）监理投标书（或监理规划）。

上列合同文件为一整体，代替了本合同书签署前双方签署的所有的协议、会议记录以及有关相互承诺的一切文件。

三、本合同书经双方法定代表人或其委托代理人签字（盖章）并加盖本单位公章后生效。

四、本合同书正本一式两份，具有同等法律效力，由双方各执一份；副本_____份，各执_____份。

建设单位：（盖章）　　　监理单位：（盖章）

法定代表人：（签章）　　法定代表人：（签章）

委托代理人：（签章）　　委托代理人：（签章）

邮　　编：_____　　邮　　编：_____

电　　话：_____　　电　　话：_____

传　　真：_____　　传　　真：_____

开户银行：_____　　开户银行：_____

账　　号：_____　　账　　号：_____

附件 2

通用合同条款

词语涵义及适用语言

第一条　下列名词和用语,除上下文另有规定外,具有本条所赋予的涵义:

一、"工程项目"是指建设单位委托监理单位实施建设监理的工程建设项目。

二、"建设单位"是指由项目主管组建或指定的负责项目组织与管理的法人组织。

三、"监理单位"是指承担监理业务和监理责任的法人组织。

四、"监理机构"是监理单位派驻本工程项目现场直接承担监理业务实施的组织,由总监理工程师、监理工程师和监理员以及其他人员组成。

五、"建设工程监理"是监理工程师根据本合同约定履行其职责,包括正常的监理工作和额外的监理工作。

六、"总监理工程师"是由监理单位提名并经建设单位和有关主管单位同意后,委派到监理机构履行本合同的现场负责人。

七、"施工单位"是指受建设单位委托实施(或具体组织群众实施)工程建设的法人组织。

八、"天"是指任何一个午夜至下一个午夜之前的时间段。

九、"月"是根据公历从一个月份中的任何一天开始到下一个月相应日期的前一天的时段。

十、"本合同"指经双方签署并生效的本监理合同。

十一、"工程建设合同"是指建设单位与施工单位所签署并生效的有关本工程项目建设的合同。

十二、"进驻"是指监理机构和监理人员进入工地,开始实施或准备实施监理业务的行为。

十三、"现场"是指建设项目实施的场所。

十四、"地方法规和规章"是指省级人民代表大会或常务委员会和人民政府所制定的法规和规章。

第二条　本合同适用的语言文字为汉语文字。

适用法律、法规、规章和监理依据

第三条　适用于本合同的法律、法规和规章是中华人民共和国法律、行政法规以及国务院有关部门的规章和工程所在地的地方法规和规章。

第四条 监理工作的依据是国家的法律、法规、规章和技术标准,经有关部门批准的工程项目建设文件,监理规划以及工程建设合同文件和本合同文件。

通知和联系

第五条 建设单位应授权一名熟悉本工程情况、对工程建设中的一些重大问题能迅速作出决定的常驻代表,负责与监理机构联系。更换常驻代表时,应提前通知监理单位。

第六条 在合同实施过程中,双方的联系均应以书面函件为准。在不作出紧急处理即可能导致人身、设备或工程事故的情况下可先口头或电话通知,事后应在48小时内补做书面通知。

第七条 建设单位对工程项目实施的意见和决策,应及时通告监理机构;建设单位对监理机构发出的工程建设的通知、指令、变更等各种工程实施命令,要积极协助落实。

监理单位的义务和责任

第八条 监理单位应依据项目主管单位批准的监理规划,在专用合同条款约定的时间内,组建项目监理机构,并进驻施工现场实施工程监理。

第九条 监理单位应按照专用合同条款约定的监理范围和内容,在约定的时间内,按监理规划派出专业配套、符合资格条件的监理人员进驻施工现场,组建监理机构,编制监理细则,并正常有序地开展监理工作,完成本合同所约定的监理任务,并承担相应的监理责任。

第十条 在监理期限内,监理单位可根据工程进展情况和监理业务量的大小,对监理机构和人员进行合理的调整。更换总监理工程师须经建设单位和项目主管单位同意;同时应保持其他主要监理人员的相对稳定,如有调整应报建设单位备案。

第十一条 监理单位应按照国家的有关规定,建立监理岗位责任制和工程质量终身负责制。

第十二条 在监理期间,监理人员必须遵守监理工作的职业道德和行为规范,运用合理的技能提供优质服务;应坚持"守法、诚信、公正、科学"的原则,勤奋、高效、独立自主地开展监理服务,维护国家和建设单位的利益及施工单位的合法权益。监理人员不得受雇于施工单位或接受其利益。

第十三条 现场监理人员应按照施工作业程序及时到位,对工程建设进行动态跟踪监理,工程的关键部位、关键工序应进行旁站监理。

第十四条　监理人员必须采取有效的手段,做好工程实施阶段各种信息的收集、整理和归档,并保证现场记录、试验、检验以及质量检查等资料的完整性和准确性。

第十五条　监理机构应认真做好《监理日记》,保持其及时性、完整性和连续性;应向建设单位提交监理工作月度报告及其他专题报告,并按要求及时向项目有关主管单位提交监理工作报告。

第十六条　监理机构所使用的建设单位提供的设备、设施,除有特殊规定外,产权属于建设单位。在本合同终止后,应按照专用合同条款的规定移交给建设单位。

第十七条　在本合同期限内或合同终止后,监理单位应妥善做好建设单位所提供的工程建设文件资料的保存、回收及保密工作。

第十八条　如因工程建设进度的推迟或延误超过本监理合同约定的期限,监理单位应就延长监理期限与建设单位协商并签订补充协议。

第十九条　在本合同约定的期限内,如因监理单位和监理人员违约或自身的过失造成工程质量问题或国家及建设单位的直接经济损失,监理单位应按本专用合同条款的规定承担相应的经济责任。

第二十条　监理单位因不可抗力的原因导致本合同不能履行或不能全部履行,监理单位不承担责任。

第二十一条　监理单位对建设单位因违反有关工程建设合同规定而造成的质量事故和完工(交图、交货、交工)时限的延期不承担责任。

建设单位的义务和责任

第二十二条　建设单位应负责做好工程建设外部环境的协调工作,为监理工作提供必要的工作环境和外部条件。

第二十三条　建设单位应按专用合同条款约定的时间、数量、方式,向监理机构提供开展监理业务所需要的有关工程建设的文件资料。

第二十四条　建设单位应在专用合同条款约定的时间内,就监理机构书面提交并要求作出决定的事宜作出书面决定,并及时送达监理机构。超出约定的时间,监理机构未收到建设单位的书面决定,监理机构可认为建设单位对其提出的事宜已无不同意见,无须再作确认。

第二十五条　建设单位对监理单位作出的监理规划、总监理工程师和主要管理人员名单以及监理机构的权限等内容,及时提出书面意见并反馈监理单位,以确保按时上报审批。

第二十六条　建设单位应向监理机构提供开展监理业务所必须的工作、生活条件,提供上述条件应在专用合同条款中明确。建设单位不能提供生活、工作条件的应给予补偿。补偿的费用应在专用合同条款中明确。

第二十七条　如双方约定,建设单位免费向监理机构提供工作人员,应在专用合同条款中明确。所有这类人员均应被视为监理机构的成员并接受监理机构的统一安排和使用。

第二十八条　建设单位应当维护监理机构工作的独立性,不干涉监理机构监理业务的开展。

第二十九条　如因建设单位原因使工程建设的进度推迟或延误而超过监理合同约定的服务期限,建设单位应接受监理单位相应增加监理报酬的要求,并就服务期的延长和增加的监理报酬尽快签订补充协议。

第三十条　建设单位应当履行监理合同约定的责任、义务,如有违约,应赔偿因违约给监理单位造成的经济损失。

监理单位的权利

第三十一条　监理单位有如下权利:

一、选择工程施工、设备和材料供应等单位的建议权。

二、对施工单位选择的分包项目和分包单位的确认权和否认权。

三、协助建设单位签订工程建设合同或任务书。

四、工程建设实施设计文件的审核确认权。只有经监理机构审核确认并加盖公章的设计文件和图纸,才能成为有效的施工依据。

五、工程施工组织设计、施工措施、施工计划和施工技术方案的审批权。

六、按照专用合同条款规定的金额范围内,设计变更现场的处置权。

七、按照安全和优化的原则,对工程实施中的重大技术问题自主向设计单位提出建议意见,并向建设单位提出书面报告。

八、组织协调工程建设有关各方关系的主持权。

九、按工程建设合同规定发布开工令、停工令、返工令和复工令,发布停工令、复工令,应事先征求建设单位意见。

十、对全部工程的所有部位及其任何一项工艺、材料、构件和工程设计的检查、检验权。但上述的一切检查、检验不免除施工单位按有关合同或任务书规定应负的责任。

十一、对全部工程的施工质量和工程上使用的材料、设备的检验权和确认权;安全生产和文明施工的监督权。

十二、工程施工进度的检查、监督权以及工程建设合同工期的签认权。

十三、对施工单位设计和施工的临时工程的审查权和监督权。

十四、工程款支付的审核权和签认权,工程结算的复核确认权和否认权。未经监理机构签字确认,建设单位不支付任何工程款项。

十五、有权要求施工单位撤换不称职的现场施工人员和管理人员。

十六、有权要求施工单位增加和更换施工设备,由此增加的费用和工期延误责任由施工单位自己承担。

建设单位的权利

第三十二条 有权依据本合同对监理机构和监理人员的监理工作进行监督。

第三十三条 有权依据黄河水土保持生态工程有关规定选定工程设计单位和承建单位。

第三十四条 有对工程设计变更的建议权,对工程建设具体实施方案的决定权。

第三十五条 有对施工单位工程款支付、结算的最终决定权。

第三十六条 监理单位更换总监理工程师须事前经建设单位同意,并有权要求监理单位更换不称职的监理人员。

第三十七条 有权要求监理单位提交监理月报和监理工作范围内的专题报告。

合同生效、变更与终止

第三十八条 本合同在监理期限届满并结清监理报酬后即终止。

第三十九条 因非监理单位原因,出现以下情况而由此增加的监理工作量和工作时间的延长,均应视为监理机构的额外工作,监理单位有权要求得到额外报酬并相应延长期限:

一、由于建设单位、施工单位和不可抗力等非监理原因使监理工作受到阻碍或延误,以致增加了监理工作量或持续时间。

二、在本合同履行过程中,建设单位要求监理机构完成监理合同约定范围以外的工作。

三、由于非监理原因暂停或终止监理业务时,其善后工作或恢复执行监理业务的工作。

第四十条 本合同适用的国家有关法律、法规、规章和标准发生变化时,签约双方应在充分协商后对包括监理报酬计取在内的合同有关条款作出相应的调整和变更。

第四十一条 在监理过程中,如因情况发生变化,本合同必须变更时,须双方协商一致,签署变更合同或补充协议。因变更产生的费用等问题的解决办法应在变更合同或补充协议中明确。

第四十二条 建设单位或者监理单位要求解除合同时,应首先征求项目有关主管单位意见,在获得同意后书面通知监理单位,若通知送达后 28 天内没有收到对方的答复,可在此后的 14 天内发出终止监理合同的通知,本合同即行终止。因解除合同遭受损失的,除依法可以免除责任的外,应由责任人负责赔偿损失。

第四十三条　在本合同期限内,由于工程项目建设计划的重大调整或不可抗力而致使工程项目全部或部分暂停,直至不得不终止合同时,经建设单位提出终止合同的书面通知,本合同终止。双方应协商解决因合同终止所产生的遗留问题。

第四十四条　由于监理单位的责任致使本合同终止时,监理单位无权取得未履行监理范围的费用。

第四十五条　本合同的终止并不影响各方应有的权利和应承担的责任。

违约行为处理

第四十六条　建设单位违约与违约责任。

在本合同履行过程中,建设单位下述行为属违约:

一、未履行通用合同条款第二十二条、第二十三条约定的义务。

二、未按专用合同条款第四十八条规定的期限支付监理报酬。

对上述的违约行为,建设单位应承担违约责任,按专用合同条款规定向监理单位支付违约金或赔偿因此而给监理单位造成的经济损失。

第四十七条　监理单位违约与违约责任。

在本合同履行过程中,监理单位或监理机构下述行为属违约:

一、未履行通用合同条款第八条、第九条、第十一条约定义务和责任。

二、监理单位不再具有承担本工程项目监理业务的能力而终止合同,或因监理事故而给国家或建设单位造成重大的经济损失。

对上述的违约行为,监理单位应承担违约责任,按专用合同条款约定向建设单位支付违约金或赔偿经济损失。

监理报酬

第四十八条　正常的监理业务报酬,按照专用合同条款约定的方法计取,建设单位应按专用合同条款约定的期限、方式支付。

第四十九条　监理单位根据建设单位要求,完成额外监理工作应得到的额外报酬,或因工期延长增加的报酬,应按监理补充协议或专用合同条款约定的方法计取,其支付方式、期限等应按正常监理报酬的规定进行。

第五十条　建设单位在约定的支付期限内未支付监理报酬,自约定支付之日起到实际支付之日止,还应支付滞纳金或利息。

第五十一条 建设单位对监理单位提交的监理报酬支付通知书中报酬项目有异议时,应当在收到监理单位支付通知书 7 天内向监理单位发出异议通知,由双方协商解决。无异议,按通用合同条款第四十九条的约定支付。

其 他

第五十二条 监理人员在监理业务范围内必须出外考察的,经建设单位同意,其费用由建设单位实报实销。

第五十三条 在监理业务范围内,监理机构如需另聘专家咨询或帮助,其费用由监理单位承担;在监理范围之外的咨询和帮助,经建设单位同意,费用则由建设单位承担。

第五十四条 因监理机构在监理过程中提出的合理化建议,使建设单位得到了直接的经济效益,建设单位应给予监理机构合理化建议的奖励。

第五十五条 在监理合同生效后的 56 天内,监理单位应按照专用合同条款约定的种类办理保险,并向建设单位提交保险合同的副本。保险合同的条件应符合本合同的约定。

争议的解决

第五十六条 本合同发生争议,由当事人双方协商解决;也可由工程项目主管部门或行业合同争议调解机构调解;协商或调解不成时,当事人双方同意由仲裁委员会仲裁;当事人双方未在本合同中约定仲裁机构,事后未达成书面仲裁协议的,可向人民法院起诉。

第五十七条 在争议的协商、调解、仲裁或起诉的过程中,双方仍应继续承担监理合同约定的各自的责任和义务,保证工程建设的正常进行。

附件 3

专用合同条款

适用法律、法规、规章和监理依据

第一条　本合同适用的国家法律、行政法规和部门规章以及地方法规、规章为_____。

第二条　本合同的监理依据为：_____。

监理单位的义务和责任

第三条　监理单位应在监理合同生效后的_____天内，向建设单位提交监理机构以及委派的总监理工程师和主要监理人员的名单、简历。

第四条　监理单位的监理范围为：_____。监理单位的监理工作内容和主要措施(一般要求见附件 4)：

监理单位应在监理合同生效后的_____天内，派出监理人员进驻施工现场。

第五条　需旁站监理的工程关键部位是：_____。需旁站监理的关键工序是：_____。

第六条　监理机构使用建设单位提供的工作、生活条件的设备、设施和物品，在监理业务完成或合同终止后_____天内移交建设单位。

第七条　因监理单位的过失造成国家或建设单位的直接经济损失，赔偿金计算公式为：

赔偿金＝直接经济损失×报酬(税金等各项应扣费用扣除后)比率

建设单位的义务和责任

第八条　建设单位向监理机构提供与工程有关的工程建设资料为：_____。

第九条　建设单位对监理单位或监理机构书面提交并要求作出决定的事宜作出书面决定，并送达监理单位或监理机构的时限：

一般文件_____天。

紧急事项、变更文件_____天。

第十条　建设单位免费向监理机构提供的必要工作生活条件为：

二、＿＿＿＿＿＿＿＿＿＿＿。

上述条件提供的时间：＿＿＿＿＿＿＿＿＿＿＿。

监理单位自备的，建设单位给予经济补偿的设施、设备有：＿＿＿＿＿＿＿＿＿＿＿。

对上述设施、设备给予经济补偿的方式是：＿＿＿＿＿＿＿＿＿＿＿。

第十一条　由建设单位提供的工作人员名单及要求：＿＿＿＿＿＿＿＿＿＿＿。

监理单位的权利

第十二条　第六款独立处理设计变更处置权的金额为：＿＿＿＿＿＿＿＿＿＿＿。

违约行为处理

第十三条　建设单位违约，应支付给监理单位违约金或赔偿经济损失，计算办法：

一、违约金：＿＿＿＿＿＿＿＿＿＿＿。

二、经济损失：＿＿＿＿＿＿＿＿＿＿＿。

第十四条　监理单位违约，应支付建设单位违约金和赔偿经济损失，计算办法：

一、违约金：＿＿＿＿＿＿＿＿＿＿＿。

二、经济损失：＿＿＿＿＿＿＿＿＿＿＿。

监理报酬

第十五条　双方同意按如下方法计取并支付监理报酬：

一、监理报酬的组成及计算方法和计算公式为：＿＿＿＿＿＿＿＿＿＿＿。

二、监理报酬的调整与调差方法和计算公式为：＿＿＿＿＿＿＿＿＿＿＿。

(以上两项均需注明具体的计算方法和计算公式)

三、监理报酬的支付方式为：＿＿＿＿＿＿＿＿＿＿＿。

四、监理报酬的支付时间为：＿＿＿＿＿＿＿＿＿＿＿。

第十六条　双方同意按如下方法计取额外监理工作的监理报酬：
＿＿＿＿＿＿＿＿＿＿＿。

第十七条　建设单位延期支付监理酬金应向监理单位支付利息的利率为：
＿＿＿＿＿＿＿＿＿＿＿。

其　他

第十八条　合理化建议的奖励：

一、经济效益的计算方法：＿＿＿＿＿＿＿＿＿＿＿。

二、奖励金额的计算方法：＿＿＿＿＿＿＿＿＿＿＿。

三、奖励的支付方式：＿＿＿＿＿＿＿＿＿＿＿。

第十九条　监理单位需参加保险的种类：＿＿＿＿＿＿＿＿＿＿＿。

<h2 style="text-align:center">争议的解决</h2>

第二十条　合同争议的调解和仲裁机构：

一、双方约定的调解机构为：＿＿＿＿＿＿＿＿＿＿＿。

二、双方约定的仲裁机构为：＿＿＿＿＿＿＿＿＿＿＿。

附加协议条款：＿＿＿＿＿＿＿＿＿＿＿。

附件4

监理内容

（一般要求）

一、施工准备阶段

1.协助建设单位签订施工合同或建设任务书(进一步具体写明如资质审查、招标设计、投标文件评审等工作内容)。

2.检查,督促落实群众投劳、施工组织与基层施工人员的培训。

3.审批施工单位提交的施工组织设计、施工进度计划、施工技术措施、作业规程,工艺试验成果,使用的原材料,临时建筑工程设计,施工测量控制点、放样数据以及放样测量成果。

4.组织设计图纸会审和设计交底现场会议。

5.督促建设单位按照建设合同规定落实必须提供的各种施工条件。

6.检查施工单位的各项开工准备工作落实情况,并在检查与审查合格后签发工程开工令。

二、工程实施阶段

1.审查或签发补充设计文件、技术规范等,答复施工单位提出的建议和意见。

2.施工质量控制:审查施工单位的质量保证体系和措施并检查其建立和运行情况;核实质量文件;依据工程建设合同文件、设计文件、技术规范(规程、标准)等,对施工的全过程进行动态跟踪巡视检查,对重要工程部位和主要工序进行旁站跟踪监督;以单元工程为基础,对施工单位质量自检及质量等级评定资料报告进行复核。

3.工程进度控制:根据工程建设总进度计划,编制控制性进度目标和年度施工计划,并审查批准施工单位提出的年度实施计划(控制年计划进度)、分部工程与单元工程实施计划(控制施工季节),检查复核上述计划实际完成情况(控制数据的准确可靠);督促施工单位采取切实措施,实现项目的工期要求;当实际进度与计划发生较大偏差时,及时向建设单位提出调整控制性进度计划的建议意见,经建设单位批准后完成进度计划的调整。

4.工程投资控制:协助建设单位编制投资控制目标、分年度投资计划和中央资金拨付报账申请;审查施工单位提交的资金流计划;审核施工单位完成的工程量和单价费用,并签发计量和支付凭证;检查地方筹资到位情况;受理索赔申请,进行索赔调查和谈判,并提出处理意见;审批或审核工程变更,下达工程变更令。

5.施工合同管理:全面管理工程建设合同;审批施工单位提出的分包项目、分包单位资格;主持监理合同授权范围内工程建设各方的协调工作,编制施工协调会议纪要。

6.监理信息管理:做好施工现场记录与信息反馈;检查、督促施工单位按规定向建设单位提供完整的资料、图、表和各类档案;按照监理合同的要求,编制监理业务范围内的月、年报和专题报告;做好文、录、表、单的日常管理,按期整编工程资料和工程档案。

7.施工安全监督:检查施工安全措施、劳动防护和环境保护措施;并提出建议;检查防汛度汛措施并提出建议;参加重大安全事故调查。

8.其他相关工作(如协助建设单位进行阶段验收),及要求监理单位承担的其他工作(如咨询业务或其他事务性工作)等。

三、保修期阶段

按照施工阶段相关内容做好遗留工程施工和工程缺陷修复、重建的监理工作;审查设计单位和施工单位编制的竣工图纸和资料;协助建设单位按国家规定进行竣工验收及工程移交工作;编写工程监理工作报告;向建设单位移交工程档案、资料。

附录 B

黄河水土保持生态工程施工监理规划内容要求

一、项目概要

1.项目简况:建设目的、工程范围、项目区情况、项目内容和组成等。

2.项目目标:总投资或合同价;资金来源与构成;总工期或合同工期;质量要求等。

3.项目组织:建设单位、施工单位、其他有关单位组织结构及其相互关系等。

二、监理机构与工作制度

机构设置及其相互关系;人员构成、分布(含花名册);各级监理机构、各类监理人员的职责与授权;各项内部管理制度和监理工作制度等。

三、监理规划的主要内容、方法、要求

按照所承担建设阶段和监理任务内容来编制。水土保持生态工程建设工程项目的施工监理工作,主要包括以下几个方面内容:

1.质量控制:工程项目划分与各项工程的质量目标[工程项目划分可参照《水利水电工程施工质量评定规程(试行)》(水科技[1996]413号文件发布),结合黄河水土保持生态工程项目实际,由建设(监理)单位组织设计及施工单位共同研究确定](按单位工程、分部工程和单元工程项目编写);质量控制依据(合同文件及规范、规程、标准的名称和内容);全过程质量控制的要求;质量控制

的措施(组织措施、技术措施、合同措施等)与手段;质量控制流程图;质量控制风险分析(最可能出现问题和最需要防范的工程部位、施工方法、工序);质量管理用表格式及填报;施工图的审查与发送等。

2.投资控制:投资分解;投资控制措施;投资控制流程图;计量支付用表格式及填报;投资分析制度;投资风险分析(投资控制的难点、影响工程成本的因素)等。

3.进度控制:总进度计划;进度控制主要目标(年度计划完成,措施施工控制在最有利的实施季节,实际进度不失真);进度控制措施;进度控制流程图;进度控制与进度统计用表格式及填报;进度目标风险分析等。

4.合同管理:合同结构(各合同间的相互关系);监督合同执行的措施(合同管理组织、人员及分工,管理制度、工作制度与协调制度等);合同索赔的控制;合同文件的修改;争议仲裁机构和方法;合同执行情况分析,合同文件、资料的管理等。

5.监理信息管理:信息源及其相互关系;信息传递流程;信息目录表(信息类型、名称、来源、时间、接受方式等);会议制度(名称、主要议程;时间、地点、主持和参加者,记录保存方式);信息处理(收集、整理、保存、传递的制度)等。

上述内容的主要控制目标和要求。

四、其他有关事项(内容略)

附录 C

黄河水土保持生态工程
施工监理实施细则一般内容要求

一、工程概况

本专业工程项目名称、内容、分布、工程量等。

二、总则

1.编制实施细则的依据:合同、规范、规程、标准等文件的全名。

2.本实施细则适用于哪些施工内容。

3.本实施细则中未列的施工内容及其参照执行的实施细则的名称。

三、申请开工许可证的方法、要求

1.施工单位申报材料的内容和编制方法、要求。

2.开工申请的报批和程序、审查内容和应具备条件、应达到的标准(包括对申请报告内容和实际施工准备工作)、处理方法和处理时限等。

四、施工过程中的监理方法、要求

1.各项施工内容在施工过程中应遵守的制度、规定与操作规程的具体内容。

2.哪些工序应先报验、后实施,如何报。

3.施工原始记录及其填写的方法、要求。

4.计量、支付的具体方法、要求。

5.可能出现的问题及其如何预防、监督、处理。

6.施工资料的整理和报送方法、要求。

五、工程质量控制的内容、方法、要求

1.各项施工内容、各工序操作规程,规定要点和应达到的质量指标值。

2.所使用的材料的质量标准。

3.对施工操作过程和材料质量如何控制(方法、程序、频度、要求等)。

4.可能出现的质量问题及其预防,处理办法。

5.工程质量检验、评定与签认方法步骤。

六、其他有关监理事项(内容略)

附录 D

监理机构应向建设单位提供的信息和文件

一、定期的信息文件——监理月报

监理月报的主要内容:

1.项目概述:包括项目位置、项目主要特征及合同情况简介。

2.大事记。

3.工程进度与形象面貌。

4.资金到位和使用情况。

5.质量控制:包括质量评定、质量分析、质量事故处理等情况。

6.计划执行情况:包括计划任务完成的比例及评价等。

7.现场会议和往来信函:包括会议记录、往来信函。

8.监理工作:包括监理组织框图,资源投入,重要监理活动,图纸审查,发放,技术方案审查,工程需要解决的问题和其他事项。

9.施工人员情况:包括劳动力的动态、投入的设备、组织管理和存在的问题。

10.安全和环境保护。

11.进度款支付情况。

12.工程进展图片。

13.其他:包括水文和气象等自然情况。

附件:反映工程施工和监理工作情况的各种统计报表。

二、不定期的监理工作报告

1.关于工程优化设计、工程变更的建议。

2.投资情况分析预测及资金、资源的合理配置和投入的建议。

3.工程进度预测分析报告。

三、日常监理文件

1.监理日记及施工大事记。

2.施工计划批复文件。

3.施工措施批复文件。

4.施工进度调整批复文件。

5.进度款支付的确认文件。

6.索赔受理、调查及处理文件。

7.监理协调会议纪要文件。

8.其他监理业务往来文件。

四、文件报送份数：＿＿＿＿＿＿＿＿＿。

附录 E

黄河水土保持生态工程监理工作报告
一般内容

1.工程基本概况。

2.监理组织机构及工作起止时间。

3.关于工程质量、工程进度、工程费用监理及合同管理的情况。

4.单位工程、分部工程、单元工程质量评估。

5.工程费用分析。

6.对工程建设中存在问题的处理意见和建议。

7.照片、录像带。

（编写人员:朱小勇、鲁小新、李　梅）

黄河水土保持生态工程中央资金
管理暂行办法[*]

第一条 为了加强黄河水土保持生态工程建设管理,充分发挥中央资金效益,根据水利基本建设资金管理有关规定,结合黄河水土保持生态工程的实际,制定本办法。

第二条 本办法适用于黄河水土保持生态工程建设项目。

第三条 黄河水土保持生态工程建设项目中央资金采取"申请报账制"支付方式。考虑新建项目的启动,可在开工前预拨少量资金。

第四条 项目法人单位应于每一季度末10日内依据验收合格的工程量,汇总编制本季度报账申请,报省(区)水土保持主管部门审核后,上报黄河上中游管理局,黄河上中游管理局复核后拨付资金。审核、复核时间均不得超过1周(公休日顺延),资金拨付在途时间不超过1周。

第五条 报账申请应包括报账申请文字说明书及相关表格,预拨的启动资金也应在开工前一个月提出申请,具体要求由黄河上中游管理局制定。

第六条 报账申请文字说明书及有关附表须经建设、监理单位和负责人签字并加盖公章。

第七条 凡存在下列情况之一的,黄河上中游管理局将暂缓或停止拨付中央资金。

1. 违反报账制度的规定,虚假报账骗取中央资金的;

2. 财会机构不健全,会计核算不规范的;

3. 违反基本建设程序,擅自改变项目建设内容,转移挪用中央

---

[*] 本办法以黄财[2001]15号文下发。

资金的；

4.有重大工程质量问题,造成经济损失和社会影响的；

5.未按规定报送有关财务报告或资料严重失真的；

6.地方配套资金严重不到位的。

第八条　各项目法人单位要严格执行基本建设财务管理的有关规定,对中央资金设置专账专户管理,建立严格的内控制度,保证资金安全。

第九条　会计核算执行《国有建设单位会计制度》及《国有建设单位会计制度补充规定》。会计科目设置要以计划项目为基础,准确、完整地反映各项工程措施及非工程措施的完成情况。

第十条　各项目法人单位年度不能完成建设任务的应在当年10月底前提出调整申请,由黄河上中游管理局本着奖优罚劣、动态管理的原则相应调整年度计划,并报黄委会备案。

第十一条　各项目法人单位要严格按规定填报财务报表和信息资料。

第十二条　黄河水土保持生态工程建设资金的管理使用情况接受黄委会、黄河上中游管理局及省(区)有关主管部门的监督和审计。

第十三条　本办法由黄河水利委员会负责解释。

第十四条　本办法自颁布之日起施行。

（编写人员:杨明云、朱小勇）

黄河流域水土保持小流域
综合治理试点管理实施办法[*]

第一章 总 则

第一条 小流域综合治理试点,是水土保持工作中的一项重要科学试验。它起着综合研究、示范带头、积累经验、带动全面的作用。为了进一步搞好黄河流域的水土保持小流域综合治理试点工作,根据原水电部颁发的《水土保持小流域治理试点管理办法》及近年来黄河流域各地试点经验,特制定本办法。

第二条 本办法适用于黄河流域内的水土保持小流域综合治理试点(以下简称试点小流域)。可供重点治理小流域参考。

第三条 试点工作的目的是:针对黄河流域不同水土流失类型区水土保持技术措施的配置、实施、管护以及水土保持管理工作等方面存在的问题,通过试点小流域全面规划、综合治理、科学管护的实践,为各类型区大面积地治理开发提供科学依据和系统的成功经验。

通过试点的小流域,要达到水土流失基本控制,生态环境向良性发展,生产条件明显改善,土地利用结构趋向合理,达到试点小流域的治理验收标准,成为本类型区水土保持的示范样板和脱贫致富的典型。

第四条 小流域试点的主要任务:

1.探索不同水土流失类型区快速治理的途径、办法、手段。发现和揭示水土保持工作中带有方向性和规律性的问题。

---

* 本办法以黄农水[1992]1号文下发。

2.探索不同水土流失类型区合理保护、综合利用水土和生物资源,科学配置水土保持技术措施的方法。研究建设水土保持综合防护体系的优化模式。研究水土保持治理措施的管护、新的水土流失的预防与监督等办法。

3.探索不同水土流失类型区各项水土保持治理措施的技术标准。

4.探索不同水土流失类型区的水土保持投资机制,研究水土保持投资方向、投资政策以及相应的经费管理办法,研究逐步提高投资效果的途径。

5.探索不同水土流失类型区水土保持的经济效益、生态效益和社会效益有机结合、相互促进、逐步提高的有效措施。研究投入、产出与效益的关系。寻找治理水土流失与增加群众收入相结合的有效途径。

6.探索不同水土流失类型区水土保持经济政策、技术政策和有关社会经济问题,研究水土保持工作的组织、领导、工作方法等有关管理技术。

第五条　试点小流域工作,要认真贯彻执行"预防为主,全面规划,综合防治,因地制宜,加强管理,注重效益"的水土保持方针。要用宏观综合的观点,系统分析的方法,先进的技术手段,处理好试点小流域系统中各种因素的关系,以便发挥总体的优化功能,使试点小流域工作向"高、深、细"方向发展。

第六条　黄河流域的试点小流域是一项由黄河水利委员会主持的国家综合性试验示范开发研究项目(黄河中游地区试点小流域工作的管理部门❶ 为黄河水利委员会黄河中游治理局)。具体实施由流域所在的省、地、县级水土保持部门负责。

---

❶ 原来发文时为"主管部门",系校对错误。

第二章　选　点

第七条　根据上级的计划安排,分期分批确定试点小流域,一般每五年为一个周期。没有特殊目的,不零星选点。同样的类型不布设同样目的的试点。

试点小流域的确定程序,分为初选、规划、审查、定点四个阶段。

第八条　每期(批)试点小流域选点前,由管理部门提出选点计划,报经黄河水利委员会审查批准后,开始进行选点工作。

第九条　所选的试点小流域应具备以下条件:

(1)在本水土流失类型区内,自然条件、社会经济状况、水土流失类型等,具有较强的代表性和典型示范性。

(2)流域完整、行政区划比较单一,交通比较方便,流域面积一般在10~30平方公里。个别地区根据特殊的研究需要,也可选择大于30平方公里的流域进行试点。

(3)有明确的试点目的和具体任务,要探索和研究解决所代表的类型区存在的关健问题。

(4)领导重视,群众积极性高,地方匹配资金落实。能确保不发生边治理、边破坏和增加新的水土流失。

(5)定点后能够建立健全实施管理机构,并调配较强的技术力量,按照试点要求进行科学治理和科学管理。能够完成试点的各项任务。

(6)有一定的治理基础,现有劳动力能够满足每年应有的治理进度,五年内能达到试点治理的验收标准。

第十条　根据黄委会管理部门的安排,首先由有关地、县级水保部门根据试点小流域的选点条件进行初选,并提出《选点工作报告》,经省级水保部门审核后,报黄委会管理部门审查。管理部门要深入现场核实情况,明确流域周界,根据黄河流域试点的整体安排择优初步定点。

在初选工作结束后,管理部门要对该期(批)初步定点的流域进行汇总,报黄河水利委员会平衡核准。

第十一条 经核准的初选流域,由试点县组织编制流域水土保持综合治理试点规划,并填写《试点申请书》。

完成的流域规划,先由地区和省级水保部门进行审查和论证,提出意见并经修改后,连同《试点申请书》一并报黄委会管理部门审核和批复。

第十二条 试点流域规划批准后,黄委会管理部门要与县级人民政府签订《试点合同书》,明确试点的具体任务、年限、国家补助资金、地方匹配资金、义务、权利、责任等有关重要事项。合同生效后,即按合同规定正式开展试点工作。

第十三条 试点小流域必须建立健全机构,要求有主管县长参加的精干领导班子和以技术人员为主体的工作班子,以便统一部署和组织实施,保证试点小流域按合同规定完成规划和计划任务。

第十四条 试点小流域选点工作结束后,管理部门要写出该期(批)选点总结报告,报黄河水利委员会备案。

第三章 规划编制

第十五条 编制规划的原则:

1.要坚持实事求是,一切从实际出发的科学态度,编制一个能够指导实践的规划。

2.要抓住本类型区的主要问题,突出重点。处理好农、林、牧用地,粮食生产与多种经营,工程措施与植物措施,坡面治理与沟道治理,经济效益和生态效益等方面的关系。

3.必须坚持自力更生为主、国家支持为辅的原则,多层次多渠道集资。

第十六条 编制规划的要求:

1.规划编制应保证一定的技术力量,成立专门的规划工作班子,由一名有实践经验的工程师担任规划的技术负责人。

2.规划所用资料必须可靠,各项技术经济指标合理、准确、有依据。要认真研究分析当地社会经济发展战略和现有农业、林业、牧业、水利、水保等区划、规划,充分采用现有的成果和资料,并注意与有关规划的协调一致。

3.规划应有科学的论证。规划中的生产发展方向、土地利用结构、治理措施配置、技术经济指标、治理进度的确定以及"突破口"的选择等重大问题,都应分析技术上的可行性和经济上的合理性,进行科学论证,筛选优化方案。

4.规划应尽可能采用先进技术手段,以提高规划的科学水平。

第十七条 规划应包括的主要内容有:流域的基本情况、水土流失状况和存在的主要问题;水土保持现状和经验教训;生产发展方向和措施布局;治理措施的设计;陡坡退耕和还林还草措施;主要技术经济指标(投入产出指标、工作量、年进度、劳力、物资、经费、效益等);实现规划的保证措施。

规划的各项具体治理措施,要逐地逐块落实,定位、定量、定序,并标注到规划图上。

第十八条 规划的成果要求:

1.规划报告。规划报告的编写要求概念清楚,重点突出,文字简练,分析得当,论证有据。

2.表格。现状表、规划表齐全,数据准确可靠。

3.图件。要有 1/10 000 水土流失现状图、1/10 000 土地利用现状图、1/10 000 水土保持措施规划图。

4.附件。规划过程需要说明的专题问题。

第四章　治　理

第十九条　试点小流域治理要以规划和合同为依据,确定年度实施计划。

第二十条　省级水土保持部门要在每年1月底前,将各试点小流域的年度计划进行汇总,报黄委会管理部门。管理部门对计划审核后,根据上级下达的经费总额,向各省按流域一次性下达全年治理任务和补助经费指标。各试点流域要把专项经费和地方匹配经费加在一起,统一使用,组织年度计划的实施。

第二十一条　为确保年度计划的实施,有关部门要从技术、人力、物资、苗木种籽等方面,对试点流域重点支持。地方政府要把试点治理纳入目标管理范围,并协调关系,指挥治理班子开展工作。各级业务部门要选派懂技术善管理的人担任项目负责人,负责实施各项具体任务,搞好试点小流域的技术服务工作。要逐级签订治理承包合同,把任务落实到户到人,明确责、权、利,制定奖惩办法,保证各项任务的完成。治理施工中,各流域可根据本地的实际情况,选择或探索适当的治理形式。无论采用哪种治理形式,都要严格保证治理的质量和数量。

在试点期间,要严格按照规划设计进行治理,不得随意改变规划、计划和合同内容,确需变更时,要向审批单位提出书面论证依据,经批准后方可变更。

第二十二条　每年度的治理计划完成后,要进行年度检查验收。在检查验收中,要以单项措施设计标准为依据,同时符合合同和年度计划要求的目标、数量。

第二十三条　年度检查验收,首先由试点流域进行初查,主要检查当年各项计划任务的完成质量、数量,并将符合要求的治理措施填绘在现状图上。黄委会管理部门要会同省级水土保持部门,及时抽查当年试点各项任务完成情况,并初步提出下年度的工作意见。

第二十四条　试点流域在年末要进行年度工作总结,总结的内容主要包括一年来的工作概况、治理任务完成情况、经费使用情况、投资分析、治理效益、主要经验与问题等。年度工作总结及年治理验收图,于次年1月上旬报省和黄委会管理部门审查,并由管理部门于2月底前将黄河流域试点年度总结及当年工作安排报黄河水利委员会。

第五章　经费管理

第二十五条　试点流域的经费,应采取多渠道、多层次集资,国家补助为先导,地方、群众自筹为主体,社会集资为补充,发挥各方积极性。地方应按国家补助经费1:1的比例匹配资金。地方政府在经费上要对试点小流域实行倾斜政策,县级各部门原来投入该流域的正常业务经费不得由于试点的开展而减少。

在试点小流域内应建立健全劳动积累工制度,作为群众自筹资金的一部分,每劳年投入试点治理的劳动积累工数量不得少于30个。有条件的地方,要动员群众积极向试点流域投入资金。要动员社会力量,集资集股,共同治理开发试点小流域。

第二十六条　国家下拨的试点小流域经费是一次性补助专款,不定为基数。黄委会管理部门根据国家拨款数额和合同任务确定各流域当年的补助金额,并根据当年任务完成情况实行分期拨款。

年终节余的试点补助费,可转下年度继续使用。期末验收时节余的资金,要建立水保基金,由试点流域县级主管机构统一掌握,继续用于该流域的治理管护。

第二十七条　试点经费是专项补助资金,只能用于试点流域

的水保综合治理项目,其使用范围包括:

(1)直接治理费:包括造林种草的种籽、树苗、整地补助费,小型施工器具,新修梯田当年的化肥补助,水保工程的三材,机械施工中的耗油耗电、维修,部分困难乡、村超出劳动积累工以外的用工补助,施工中集体办灶的伙食补贴,水土保持短期技术培训,勘测规划设计等。

(2)间接费:包括小流域的宣传奖励,办公用品,水保员的工资补助等。各级间接费总和不得超过经费总额的3%。

(3)试验费:结合小流域治理进行的群众性科学试验的简易设备购置、观测用工等费用。试验项目必须报黄委会管理部门审批后方可列支。

第二十八条　试点小流域要改革经费使用办法,变单一的无偿投资、定额补助为多种形式的经费使用方法。每次试点小流域国家补助经费中,有偿投资的比例要达到20%左右。有偿收回部分,经过协商,可分级管理,但必须建立水土保持基金,继续用于水土保持工作。

第二十九条　省、地级水保部门对试点的经费使用情况应经常进行监督检查,并负责向黄委会管理部门反映情况,提出建议,发现问题,及时处理。县级水保部门要设置会计账簿,进行会计核算,建立会计档案。试点流域内设报销单位会计。

第三十条　试点小流域的财会工作,要逐步做到规范化、制度化。经费要设立专账管理。补助费拨款,要在当地农业银行开立专户,接受农行监督。要建立健全财会制度,加强会计的监督职能,经办会计人员应保持相对稳定。要建立审计制度,接受审计部门的审计。

第三十一条　各省水保部门要在每年1月底前向黄委会管理部门报送经过审核汇总的各流域上年度决算表。

试点流域期末验收时,要有经费管理使用方面的专题报告,并附《流域治理期每年实际支出与措施完成对应表》、《试点期治理费决算表》、《试点期各年度国家拨款明细表》。

第六章　试验研究

第三十二条　试点小流域以应用试验研究为主,针对各条流域所要探索的主要问题,紧密结合流域治理,利用现有技术力量和资金,通过调查研究,配以简易测验,争取在较短时间能够分析、研究、总结出几个专题项目,尽快取得成果,以指导治理工作,提高试点小流域工作水平。

有条件的流域和重点深化流域要选择有代表性的沟口或在有控制性的坝内设置观测断面,并在流域上、中、下游设控制性的雨量观测点,积累资料,以便计算流域实施水保措施后的蓄水保土效益。根据课题研究需要,也可设单项水保措施的小区进行观测。

第三十三条　地方政府要协调各有关部门,尽量在试点流域内安排一些科研专题和科技推广项目,试点流域研究的项目应与地方水保科研相结合,争取科研经费和技术力量的支持。也可与科研单位签订合同,共同协作,搞好试点流域的科研工作。地方农、林、水、牧等部门以试点流域为基地进行试验研究,流域应积极配合,提供工作方便。

第三十四条　黄委会管理部门根据情况需要,在每期(批)试点小流域中可选择若干条流域,作为重点深化流域,有目的地开展试验研究工作。

第三十五条　各试点流域根据本地实际情况,可选择以下一项或几项作为重点研究项目:

(1)加快小流域治理速度;

(2)土地合理利用途径;

(3)建设高效能的水保综合防护体系;

(4)水保措施的各种效益；

(5)适生树种、草种以及提高造林成活率、保存率；

(6)水土保持措施的技术标准及施工技术；

(7)经费改革,提高投资效益和增强流域自身活力；

(8)加强预防、监督、管护,防止新的水土流失；

(9)先进科学技术的推广应用；

(10)组织领导经验和水土保持政策、法规；

(11)其他重要研究内容。

第三十六条 试点流域的科研费,属流域补助费,计划不宜过大。每年由试点流域编制科研计划和经费预算,由省级水保部门汇总,报黄委会管理部门审批后实施。

科研经费使用按第五章有关规定执行。

第三十七条 列入计划的科研项目,每年年底应写出阶段试验研究报告或年度科研总结,报省和黄委会管理部门。科研项目完成后,应及时将试验研究成果报告报黄委会管理部门。

第七章　技术档案

第三十八条 试点小流域要建立专门的技术档案,试点期间各项工作结束后,规定的入档文件资料必须及时归档,整理成卷。技术档案必须项目齐全,分类科学,装订规整。要落实保管责任,避免丢失。

试点流域的档案资料和技术成果,归黄河水利委员会和省、地、县级水保部门所有,作为永久性资料,由县级水保部门管理。其他部门和个人使用或引用资料时,必须征得以上部门的同意,并注明是黄河水利委员会资助的试点项目。

第三十九条 试点小流域技术档案应包括以下内容：

(1)试点前有关本流域的历史、行政、业务、技术等方面的资料。

(2)试点流域选点情况的批文和工作报告,各级签订的试点合同和承包合同。

(3)流域规划,工程设计和竣工验收资料。

(4)年度治理计划和科研计划,年度检查验收资料,工作总结,专题调查研究报告,科研成果报告。

(5)期末检查验收的各种原始和成果资料。

(6)试验观测资料,技术规程,预算决算,各式报表,财务收支等有关技术资料。

(7)有关试点的各级、各项文件和报告等。

第八章　期末总结验收

第四十条　每条试点小流域结束后,都要进行总结验收。期末总结验收,要对照规划及合同的执行情况,对该试点流域作出总体评价,重点检查流域治理方向、生产发展方向、土地利用和产业结构变化、措施布局,是否达到预期的效果;水保综合防护体系对防治水土流失的有效程度;流域内群众的粮食、收入、"三料"、人畜饮水等基本生活问题解决的程度和脱贫致富的途径。该流域通过试点,解决了那些较重要问题以及规划的指导实施中的主要经验教训。

对流域治理现场,重点检查试点期各项治理措施完成的数量、质量,达到的技术标准,实际治理程度,管护水平,效益发挥的程度;流域各个地貌部位是否按照因地制宜、因害设防的原则,建设起水保综合措施防护体系。

第四十一条　总结验收的标准:

1.治理程度达到70%以上,林草面积达到宜林宜草面积80%以上。

2.建设好基本农田,改广种薄收为少种高产多收,达到粮食自给,人均产粮高于同样条件地方的水平。

3.通过治理,人均收入按不变价格计算增加 30%～50%,并高于同样条件地方的水平。

4.缓洪效益显著,减沙效益达 70%以上。

5.工程措施拦蓄雨量标准,各地自行规定,做到汛期安全。

第四十二条　试点结束后,要进行总结验收前的调查,主要包括土地利用及水保措施面积达到程度调查;流域内农村综合社会经济调查;各项措施的蓄水保土效益调查;收集流域以外(主要指下游)有关受益的资料。

第四十三条　总结验收的程序:

1.地、县初步验收。在地、县级水保部门的主持下,组成验收小组,进行全面总结验收。验收小组必须本着实事求是的原则,深入实际,调查研究,系统总结分析,提出验收成果资料,送省和黄委会管理部门审查。

2.流域验收成果资料经省和黄委会管理部门审查合格后,省和黄委会管理部门联合召开试点流域验收会,提出验收意见,并经签字盖章后,则该试点正式通过验收。

3.验收的试点小流域,如治理程度高、质量好、效益突出,并取得具有人面积推广价值的技术成果或专项科研成果,可由省和黄委会管理部门组织同行专家进行技术成果鉴定和申报技术成果奖。

4.验收后,由黄委会管理部门正式移交县人民政府管理。

第四十四条　验收成果资料,主要包括总结验收报告,专题技术总结报告,科研专题总结报告,1/10 000 土地利用和综合治理措施完成图,各项成果表。验收完毕后,应及时将以上成果资料一式五份报黄委会管理部门。管理部门将流域验收总结报黄河水利委员会备案。

第四十五条　期末总结验收报告,要论述如下各项内容:

(1)流域基本情况。主要包括自然概况,社经情况,水土流失情况等,并对比说明试点前后的变化。

(2)综合治理任务的完成情况。主要包括试点前的治理基础,试点期间新增的治理面积,试点期末的累计治理情况,各项措施的质量标准和保存情况,治理措施的布局特点、治理模式、功能评价等。

(3)治理投入与经费使用情况。主要包括试点期间每年治理经费的构成及其比例,试点期每年各项治理措施的经费补助和投工数量,投资分析,补助经费的使用办法和形式,有偿投资的项目、使用、效益、回收以及回收后的再使用情况,财务决算。

(4)治理效益分析。应进行经济效益、蓄水保土效益、生态效益和社会效益四个方面的分析计算,并进行综合效益评价。

(5)主要经验。包括组织领导,资金匹配,经费管理,治理管护,提高效益,解决脱贫致富,科研成果和技术资料积累,探索本流域主要问题等几个方面。

(6)存在的问题和继续完善、提高的意见。

第四十六条　试点流域的专题技术报告,主要包括土地利用及其评价;水保防护体系的建设及其评价;水保效益分析;经费使用管理等几个方面。

第四十七条　试点小流域通过验收后,要树立标志碑。碑文主要包括流域基本情况、试点年限、主持单位、实施单位、项目主持人、技术负责人、治理成绩、治理程度、验收单位以及验收后交地方管理经营等项内容。

第九章　管护与预防

第四十八条　试点小流域要加强水土保持治理成果的管护工

作。在确定试点后,要及时成立有权威的管护组织,制定管护制度,落实管护责任,建立乡规民约。要明确权属和经营管理责任制,处理好国家、集体、个人三者之间的利益关系,搞好流域经营管理,发展商品生产,开展多种经营,实行科学管理,保证已有治理措施的完好运用,使小流域发挥更大的效益。

第四十九条　试点小流域要加强水土保持宣传工作,认真贯彻执行《水土保持法》等有关法令法规,试点小流域管理机构要建立水保预防监督制度,配备监督检查人员,严格保护水土资源,防止新的水土流失。

在试点期间及验收后,严禁在 25°以上(或当地制定的禁垦坡度标准)的陡坡开荒种植农作物,对已开垦的陡坡地要逐步有计划地退耕还林还牧;严禁毁林毁草开荒;在流域内开矿、修路、进行基本建设等新增加的水土流失,根据"谁破坏、谁治理"的原则,施工单位必须采取水土保持措施,制订实施方案,报县级水保部门批准,并由水保部门监督执行。验收后的试点流域,凡有新的破坏,要严肃处理。

第五十条　经验收后的试点流域,要制定计划,继续巩固、完善、提高流域的治理水平,不断提高经济效益和水保效益。

黄委会管理部门和省、地级水保部门,在流域验收后,应作定期跟踪调查,以检验流域治理成果的效益发挥程度及试点流域对面上治理的示范作用等。

第十章　附　则

第五十一条　本办法发布后,凡严格执行并取得显著成绩的试点小流域,黄委会管理部门可进行表彰或奖励;对不按本办法进行工作的试点小流域,黄委会管理部门要责令其限期纠正,直至取消其试点资格。

　　第五十二条　有关各部门、各地区可根据本办法制定专项规定。黄河流域以前颁布的有关试点小流域的管理规定,凡与本办法有矛盾的,以本办法为准。

　　第五十三条　本办法由黄河水利委员会负责解释。

　　第五十四条　本办法自颁布之日起施行。

（编写人员:王文善、李军民、苏娅雯）

黄河流域水土保持治沟骨干工程
建设和管理规定*

第一章　总　则

一、为了保障黄河流域水土保持治沟骨干工程建设顺利进行，加强工程管理，确保工作质量，提高投资效果，充分发挥工程效益，更好地为治理黄河和流域经济建设服务，制定本规定。

二、本规定适用于通过黄河水利委员会(简称黄委会)投资兴建(新建、改建)的水土保持治沟骨干工程。

三、黄委会主管黄河流域水土保持治沟骨干工程建设。受黄委会委扎，黄河上中游管理局行使黄河上中游地区水土保持治沟骨干工程建设主管部门职责(简称黄委会主管部门)。

有治沟骨干工程建设任务的省(区)、地(盟)水土保持主管部门，应根据各地的实际情况和需要设置治沟骨干工程专管机构，配备专人，主管其管辖区内的水土保持治沟骨干工程建设。

县(旗)水土保持主管部门为治沟骨干工程建设单位，施工单位原则上由建设单位确定。

四、治沟骨干工程是国家补助的基本建设项目，工程建设必须按照基本建设程序进行管理，实行国家补助、地方匹配和群众自筹的投资原则。

五、工程建设要积极推行投资机制改革，国家补助投资实行有偿使用，滚动发展，努力创出一条自我维持、自我发展的新路子。

六、工程建设中大力提倡利用新技术、新材料、新工艺，努力提

＊ 本规定以黄农水[1992]16号文下发。

高工效,降低工程造价。

七、各级水土保持主管部门,必须贯彻建管并重的方针,把工程管理工作落到实处,充分发挥工程效益。

八、工程管理单位要建立健全以岗位责任制为中心内容的各项规章制度,建立工程管理档案。

九、在确保工程安全,发挥工程效益的前提下,各工程管理单位应充分利用水土资源的条件和优势,开展多种经营,积极组织收入,逐步达到能够维持工程的简单再生产,并努力为工程的扩大再生产积累资金。

十、黄委会及各级主管部门应对完建工程进行定期检查评比。

第二章　工程建设

第一节　工程的划分和建设程序

十一、工程划分。

1.按建设性质分:

(1)新建工程:指新选坝址修建的工程。

(2)改建工程:指旧坝失去防洪能力,不能正常运行,需要除险加高加固和配套的工程。

2.按建设时间分:

(1)新开工程:指当年开始建设的工程。

(2)续建工程:指跨年度建设且本年度继续施工的工程。

3.按建设过程分:

(1)备建工程:指已经完成前期工作,并履行了报批手续,尚未列入年度建设计划的工程。

(2)在建工程:指已经列入年度建设计划且在施工的工程。

(3)完建工程:指已经完成施工任务并通过了竣工验收的工

程。

十二、建设程序。

建设程序依次为:①前期工程;②工程施工;③竣工验收。

第二节 改建工程的条件、范围和要求

十三、条件。

1.原有工程一般应属于水土保持治沟工程。

2.原有工程总库容在50万立方米以上,控制面积一般3~10平方公里。

十四、范围。

原有工程枢纽建筑物(大坝、放水设施、泄洪设施)局部损坏,或需要增建部分枢纽建筑物,或防洪标准达不到部颁《规范》要求。

十五、要求。

1.改建后工程的防洪标准达到部颁《规范》要求。

2.改建后工程能发挥明显的经济效益、减沙效益和社会效益。

第三节 前期工作

十六、治沟骨干工程前期工作分为两个阶段按顺序进行。

1.小流域治沟骨干工程坝系规划。

2.扩大初步设计。

十七、前期工作的深度及要求。

1.小流域治沟骨干工程坝系规划。

调查流域的自然、社经、水土保持、区域经济等基本情况,明确开发任务和要求,确定工程布局的优化方案和开发程序,提出近期兴建的工程及其基本技术经济指标。

2.扩大初步设计。

根据坝系规划结论,论证拟建工程在水土保持综合治理和生产发展中兴建的必要性、技术可行性及经济合理性。在地形、地质

勘测及水文分析等工作的基础上,选定坝址,确定工程规模、枢纽布置、主要建筑物的结构形式及尺寸、施工总布置、主要施工方法、总进度、淹没处理规划和工程概算。

十八、任务下达程序。

1.黄委会或省(区)主管部门下达小流域治沟骨干工程坝系规划任务。

2.由黄委会主管部门根据批准的坝系规划安排下达设计任务。

3.扩大初步设计经批准列入年度计划后,方可进行工程施工。

十九、审批权限。

1.流域面积在100平方公里以下的小流域治沟骨干工程坝系规划由省(区)水土主管部门审批,报黄委会主管部门核备;流域面积在100平方公里及其以上的小流域治沟骨干工程坝系规划,由黄委会主管部门审批。

2.扩大初步设计:库容在100万立方米以下的工程由地(盟)审查,省(区)审批,报黄委会主管部门核备;库容在100万立方米及其以上的工程由地(盟)、省(区)审查,黄委会主管部门审批。

第四节　计划管理

二十、治沟骨干工程年度计划,须以已批准的治沟骨干工程规划为依据,下年度的建设计划(包括以工代赈)由各省(区)于当年7月份报黄委会主管部门;黄委会主管部门于8月份上报黄委会。

二十一、黄委会主管部门根据上级下达的年度投资控制指标,并依据已批准的扩大初步设计,编制治沟骨干工程年度计划,于当年1月底报至黄委会,由黄委会正式下达黄委会主管部门执行。

黄委会主管部门和各省(区)上报治沟骨干工程年度建设计划时,须把每座工程的基本情况和主要技术经济指标以表格形式(加上必要的文字说明)附上。黄委会主管部门根据黄委会下达的年度计划,依据已批准的扩大初步设计,下达工程投资计划,并抄报黄委会。

二十二、以工代赈计划由省(区)水土保持主管部门编制、黄委会主管部门审查,再由各省(区)水土保持主管部门报各省(区)计划委员会审批下达。

二十三、治沟骨干工程建设要严格项目管理,切实做到设计有概算,施工有预算,成本有核算,竣工有决算,管好用好建设资金。

二十四、列入年度建设计划的工程,不得擅自变更计划项目。如确需变更,必须按审批权限逐级申报,由原计划下达部门批准。

需要改变设计时,必须得到设计审批单位的同意,并履行报批手续。对不超过工程概算的设计变更,或因情况紧急(指危及工程安全)虽超过概算但来不及报批,可由地(盟)水土保持主管部门批准;前者要向上级主管部门备案,后者要补办手续。

二十五、每年9月份对年度计划作一次全面调整,各省(区)需要调整计划时,要在9月初把调整意见上报黄委会主管部门。黄委会主管部门将调整计划在9月底前报至黄委会。

二十六、当年基建拨款不能结转下年使用。

二十七、修建工程所需投资中,地方匹配和群众自筹部分(包括投劳折款)不得少于工程总投资的30%,匹配资金和群众自筹不落实的项目不予下达国家补助投资。

二十八、国家补助投资的使用范围。

1.工程建设材料费、人工费(技工工资和部分民工伙食补助)、设备和仪器工具购置费、机械使用费、耗油耗电费及施工期的防汛抢险材料费。

2.勘测设计费、施工管理费、建设单位管理费。

3.预备费。

二十九、核定的国家补助投资一律包干使用,包干办法按照黄委会《黄河基本建设项目投资包干责任制实施办法》执行。

三十、治沟骨干工程建设要配备专人做好统计工作,各级工程主管部门和建设单位必须按照黄委会《治黄工程统计工作办法》和有关规定执行。

第五节　财务管理

三十一、治沟骨干工程投资使用,要贯彻"统一计划,先提后用,量入而出,分清渠道,专款专用,专户存储"的原则,同时,接受建设银行的监督。

三十二、治沟骨干工程年度投资计划下达后,黄委会主管部门分期下拨国家补助投资,第一批下拨年度计划的 30%,以后根据工程进度拨款。以工代赈工程投资按各省(区)规定执行。

三十三、建设单位为一级会计核算单位。施工所(或施工指挥部)为报销单位,配备报销员。报销员按月向会计核算单位报账,会计原始凭证和档案等由会计核算单位保存。

会计核算单位要配备具有一定业务水平的财会人员,负责资金的日常管理和会计核算工作,治沟骨干工程以单坝为核算对象。

三十四、会计核算单位必须及时、准确编报基本建设财务月报、季报、年度决算、竣工决算等报表。报表的要求和格式按有关规定执行。

三十五、竣工决算报告由建设单位负责编制,施工单位要向建设单位提供编制竣工决策报告所需的施工资料,编制前要对所有财务、物资及债权进行彻底清理,做到工完账清。

第六节　施工管理

三十六、建设单位指派技术人员作为施工技术负责人,与施工单位负责人及有关人员组成工程施工所(或施工指挥部)具体负责施工管理工作。施工所由建设单位负责筹建。

三十七、工程施工应实行承包责任制,建设单位与施工单位双方签订承包合同。施工承包单位必须是法人,不得是自然人或不具备法人资格的组织。

三十八、每项工程施工前,必须做好施工组织设计,制定施工进度计划。

三十九、施工所要建立健全以岗位责任制为中心的各项规章制度,严格按照设计和有关规定进行施工。

施工所对工程财务、物资、设备等都要建立完善的管理制度和办法,财务收支、物资出入库必须有审批手续和明细账目,保证工程建设资金、物资和设备的合理使用。

四十、施工技术负责人必须依照设计和有关质量检查规定,检查和监督工程全过程的施工质量。对关键部位和隐蔽工程要严格把关,建立质量检查记录卡,对不按设计施工和违章操作的应坚决制止。

四十一、各工地都要设施工安全员,负责施工安全教育和安全检查,并建立安全责任制和处理办法。施工安全员有权制止违章施工;对施工中发生的安全事故要及时向建设单位报告,查明原因,分清责任,严肃处理,对不安全因素,要限期整改。

四十二、建设单位要及时做好工程中间验收,合格后方可进行下一道工序的施工。

四十三、跨汛施工的工程必须做好度汛方案,落实度汛措施,坝高、放水设施等建筑物要达到度汛要求;当出现险情时,要全力以赴抗洪抢险,确保工程安全度汛。

四十四、主体工程完工后,施工单位必须整理施工场地,做好坝坡与取土场的水土保持,防止新的水土流失,并同主体工程一起进行竣工验收。

第七节　工程验收

四十五、治沟骨干工程验收分中间验收和竣工验收。中间验收由建设单位组织进行,竣工验收由工程审批单位组织有关单位进行。

四十六、验收工作必须依据批准的设计文件和相应的变更设计文件,以及有关的验收标准进行。

四十七、中间验收合格的工程由建设单位发给中间验收合格证明;竣工验收合格的工程由黄委会主管部门发给合格证书,同时移交管理单位,剩余物资、设备、工具及有关技术文件和财务档案交建设单位统一管理。验收不合格的工程由验收组提出意见限期返工完成,重新履行验收手续。

四十八、已竣工的工程要及时申请验收,未能通过竣工验收的工程不得交付使用,管理单位拒绝接管。

四十九、验收小组成员要有高度的责任感,坚持原则,秉公办事,严格按照验收标准行事。

五十、验收时必须配备必要的仪器和工具查验建筑物的尺寸及质量,做到验收工作定量化、科学化。

第三章　工程管理

第一节　工程的权属和使用

五十一、黄委会投资补助兴建的水土保持治沟骨干工程,建成后属集体所有。

五十二、根据《中华人民共和国水法》、《中华人民共和国土地管理法》和本规定确定的投资比例,按面积划分,工程蓄水及所淤土地的 60%～80%使用权属工程管理单位;20%～40%属县(旗)以上水土保持主管部门。收益由县(旗)、地(盟)、省(区)黄委会主管部门和黄委会按比例分成。

第二节　管理组织

五十三、受益或影响范围在一乡之内的工程由工程所在乡负责组织管理,受益或影响范围在两乡以上的工程由县(旗)或委托工程所在主体乡负责组织管理。

五十四、哪一级管理的工程,由哪一级负责建立管理单位。乡负责组织管理的工程,由乡政府、有关村的村委会负责确定管护人员,组建管理单位。由县(旗)负责组织管理的工程,其管理单位可根据实际情况确定。

五十五、工程管理单位可与上一级主管部门签订经营承包合同,承包后享有人、财、物和经营等方面的自主权。

第三节　工程管理

五十六、治沟骨干工程都要划定工程管理范围和保护范围。
管理范围是:
(1)最高洪水位以下库区范围;
(2)大坝及其下游坡脚和坝端坡脚以外 50 米;
(3)放水、泄洪等设施及其边线以外 10～50 米。
保护范围是:
(1)库区范围及库周与工程维护有密切关系的范围;
(2)大坝下游坡脚和坝端坡脚以外 100 米;
(3)放水、泄洪等设施边线以外 100 米以及因开发利用对工程正常运行造成威胁的范围。

五十七、治沟骨干工程管理范围内的土地及其附着物应属集体所有,归管理单位使用。工程保护范围内的土地及其附着物的权属不变。

五十八、治沟骨干工程管理范围和保护范围由乡级以上人民政府划定、公布,并向管理单位颁发证书或有关文件,同时树立标志牌。

五十九、工程管理单位必须做好下列工作:搞好坝坡排水设施和生物护坡措施,防止径流冲刷。

搞好大坝、放水、泄洪设施及设备的维修养护,保证工程完整,运用灵活,运行安全。

根据各自的实际情况,布置观测设施,监测工程运行及水沙情况,做好记录,积累资料。

六十、兼做公路的坝顶,应由交通部门向工程管理单位缴纳相应的养护费用,用于坝顶养护。

六十一、为了保证治沟骨干工程安全运行,禁止下列活动:

(1)在工程管理范围内进行取土、挖洞、放牧、铲草皮等;在工程保护范围内打井、建房、埋葬、爆破、采石等。

(2)在坝顶上行驶超重的机动车辆;雨雪天气,在不具备通行能力的坝顶上行驶机动车辆。

(3)在水域内炸鱼、毒鱼、电鱼、非法捞鱼。

(4)向库内倾倒弃石、废渣、碎石、垃圾等,但专门用于拦渣的工程除外。

(5)向库内排放污水。

(6)毁坏和盗窃放水、泄洪、观测及其他设施。

第四节　综合经营管理

六十二、工程管理单位在不影响工程安全和防汛的前提下,可以在管理范围内种植经济效益高的树木和牧草。

六十三、有灌溉条件的工程,要积极发展自流灌溉或提灌,对灌溉引水要按照有关规定收取费用。

可以发展养殖业的工程,管理单位要利用自身有使用权的水面,积极发展养鱼、养鸭等各项水产、养殖事业。

有条件解决人畜饮水的工程,要积极开展供水,管理单位要向用户收费。

已淤成的坝地,工程管理单位可利用有使用权的坝地,采用租种、承包、自种等各种形式,搞好坝地利用,提高经济效益。

六十四、近期经济效益差的工程,工程所在的乡政府和村委会要采取措施,如用劳动积累工、划拨土地给工程管理单位等办法统筹解决工程的维修养护问题。

六十五、工程管理单位从工程效益中获得的收入,主要用于工程的维修养护、更新改造、管理人员的报酬、奖励和培训费用等。

县(旗)以上水土保持主管部门按规定掌握使用部分水面与坝地,从中获得的收入主要用于工程建设、工程的新技术开发、人员培训、各级水保主管部门的管理费及开展建设与管理的奖励等。

第四章 防汛管理

六十六、治沟骨干工程防汛要贯彻"安全第一,常备不懈,以防为主,全力抢险"的方针。

六十七、治沟骨干工程防汛由地方防汛指挥机构和水保主管部门负责管理。黄委会主管部门主要做好在建工程的汛前检查与指导,提供必要的服务。各省(区)防汛指挥机构要将治沟骨干工程度汛安排、防汛动态与险情等情况及时向黄委会主管部门通报。黄委会主管部门随时把治沟骨干工程防汛情况上报黄河防汛总指挥部办公室和黄委会农水局。

六十八、工程管理单位和有关部门汛前应备好防汛抢险物料与器材,保证汛情传递及工程管理单位与水保主管部门、上级防汛指挥机构之间联系畅通。特别是在建工程,施工单位要做到防汛组织、抢险队伍、物资器材、汛情警报四落实。

六十九、工程出现险情征兆时,工程管理单位应当立即报告水保主管部门和上级防汛指挥机构,并采取抢救措施;有垮坝危险时,工程管理单位应当向垮坝淹没区发出警报或信息,有关部门应做好撤离和疏散工作。

第五章　工程科研管理

七十、为了促进治沟骨干工程建设与管理,依靠科技进步增强工程发展活力,在工程投资中应划拨一定比例的资金,用于开展治沟骨干工程科学试验和研究。

七十一、工程科研项目应是治沟骨干工程建设与管理实践中需要解决的课题。

七十二、主持工程科研项目的单位必须编写开题报告(包括经费预算),向黄委会主管部门提出申请。下年度开展的项目须于当年 7 月初报至黄委会主管部门,由黄委会主管部门审查汇总,随下年度工程建议计划报黄委会。经审查同意后,方可列入年度计划,组织实施。

七十三、开展工程科学试验与研究,还应遵循科研管理办法。

七十四、项目主持单位按要求完成研究后,应及时提出申请,由黄委会主管部门组织验收或鉴定。

第六章　奖励与处罚

七十五、凡在治沟骨干工程建设与管理工作中成绩突出的单位和个人,符合下列条件之一者,由黄委会或黄委会主管部门进行表彰与奖励。

1. 治沟骨干工程设计技术先进,经济合理,有创新。

2. 施工管理严密,组织合理,施工工艺有创新,可显著缩短建设工期,节约人力物力,降低工程造价。

3. 积极筹措落实治沟骨干工程匹配投资,明显超过本规定要求的最低匹配比例。

4.在工程建设中,及时准确上报各种工程财务与统计报表。

5.治沟骨干工程运行管理组织健全,制度完善;维修养护良好,综合经营效益突出。

6.出色完成治沟骨干工程防汛任务。

7.竣工验收时,被评为优秀工程。

七十六、有下列行为之一者,应由工程主管部门或工程管理单位给予批评、罚款;情节严重者要报请或建议有关部门对直接责任者,给予行政处分;触犯刑律的,由司法机关依法追究刑事责任。

1.已列入年度建设计划的工程,建设部门无故或领导不力造成工程不能按时开工、工期延长的。

2.施工过程中,不按设计和有关技术操作规定施工,偷工减料造成工程质量低劣或未能达到设计要求的。

3.施工过程中,违反有关安全管理规定,造成人民生命和国家财产损失的。

4.财务管理混乱,贪污、挪用工程建设资金者。

5.施工阶段,不按要求及时上报工程财务与统计报表者。

6.违反本规定第六十一条的。

7.非法占用工程坝地和蓄水的。

第七章 附 则

七十七、各省(区)可根据本规定要求,结合本地实际情况,制定具体实施办法,并报黄委会及其主管部门备案。

七十八、本规定由黄河水利委员会负责解释。

七十九、本规定自颁布之日起施行。

(编写人员:李西民)

黄委会水土保持科研基金管理办法 *

前　言

为解决黄河流域水土流失防治中遇到的主要技术难题,加快水土保持步伐,黄委会决定继续设立水土保持科研基金(简称水保基金),组织黄委会与流域内水保科研单位及有关大专院校科技人员,对一些重要的水保科研课题进行协作攻关。适应新形势下水土保持科技体制改革的需要,加强水保科研基金管理,特制定本办法。

第一章　管理体制

第一条　黄委会主管水土保持工作,主任、总工与农水水保局、上中游管理局、规划计划局、财务局、科教外事局的领导组成黄委会水土保持科研基金管理领导小组(简称水保基金领导小组)。负责审定水土保持科研计划与"基金课题选题大纲";听取工作汇报,研究解决重大问题;领导科研成果的验收。

第二条　领导小组下设办公室(简称水保基金办),挂靠农水水保局,主要任务是:

1.编制科研计划,提出选题大纲;

2.受理科研课题的申请,负责申请及可行性论证报告的审查,组织对课题进行评审论证;

---

*　本办法以黄农水[1995]7号文下发。

3.提出基金研究课题立项计划及协作方案；

4.协调组建课题协作攻关小组；

5.编制各课题合同文本，审定课题组年度计划；

6.办理拨付课题年度经费；

7.督促检查基金课题研究的落实，协调解决课题组实施过程中的重要问题；

8.负责课题研究成果的审查、验收。

第三条　基金课题研究应组建课题组，并明确主持单位及主持人。课题主持人主持完成合同规定的各项任务，负责制定课题总体设计、任务分工、年度计划、经费使用，协调指导课题组研究工作，对黄委会水保基金办和主持单位负责。

第二章　课题的申请与立项

第四条　水保科研基金主要接受黄委会有关单位的立项申请，黄河流域各省(区)水利水保厅(局)主管科研部门也可根据选题大纲组织所属科研单位申请黄委会水土保持科研基金课题。

第五条　申请单位须在规定的时间内上报"黄委会水土保持科研基金申请书"一式三份，经水保基金办审查同意立项后，通知主持单位编写"课题可行性论证报告"，经专家评议符合开题要求的，签订"黄委会水保科研基金课题专项合同"，编制实施计划正式开题。

第六条　立项开题原则。

1.基金课题以应用技术研究为主，优先安排与黄河治理开发关系密切，或经济效益显著，能促进当地脱贫致富的试验研究和示范推广项目；适当支持基础性研究和软科学研究。

2.所选课题起点要高，课题研究要体现部门协作和学科交叉、以水土保持科研单位为主，联合有关生产部门和大专院校参加，以增强课题组攻关能力,加快推广应用。

3.课题组要有学科带头人,并有能力组织起一支较强的协作攻关队伍,参加单位应具备一定的试验研究条件或经费匹配能力,能保证研究任务按期完成。

4.其他未尽事宜参照黄委会科研专题立项办法有关条款。

第三章　课题管理

第七条　水保科研基金课题实行合同制、分级管理、层层负责、行政担保、纵横结合的管理办法。

1.纵向管理由领导小组、基金办公室及课题主持人分级负责。

2.各承担单位应将基金课题列入本单位科研计划,检查督促、加强管理,并对课题组在技术力量、研究条件等方面给予支持;承担单位的上级主管部门亦应将基金课题纳入本部门科研计划,匹配资金,加强监督,保证研究任务的全面完成。

第八条　基金课题管理采取合同与计划相结合的办法。

1.基金课题有关事宜确定后,即由课题主持单位与黄委会水保基金办签订基金课题专项合同。有关各方必须严格执行专项合同各项规定。

2.每年初课题承担单位要制定详细的年度实施计划,并按要求填报年度实施计划汇总简表,于每年1月底前上报黄委会水保基金办。

3.年度实施计划包括本年度研究内容、试验布设、观测项目及要求,计划进度及时间安排、预期成果、经费预算等。

4.课题组每年要进行年度工作总结,并填报黄委会水保科研基金项目年度工作计划执行情况报告表,随同次年实施计划上报水保基金办。

第九条　各承担单位必须按照合同总任务和年度计划规定的

各项指标开展试验研究工作,不得随意变更研究内容与进度,如无正当理由又不能按合同要求进度完成任务,则视其情况核减经费或暂停拨款。如遇特殊情况需要中止合同或调整任务,须经各方协商,正式办理更改合同的有关手续。

第四章　　经费管理

第十条　每年由黄委会管理的水土保持基建投资中抽出5.0万作为水保科研基金,实行专项管理,可跨年度使用,从基金中提取5%的管理费用于各项管理业务开支。

第十一条　各课题研究经费由水保基金办根据任务大小与主持单位一次商定并签订合同,分期拨付执行。

第十二条　年度拨款由课题组根据合同规定与分年度计划提出预算和拨付协作单位的分配意见,水保基金办根据研究工作进展情况审核后,由黄委会财务局直接拨付各承担单位。

第十三条　课题研究阶段其经费按合同总经费的90%拨款,其余10%待验收后再予拨付。

第十四条　各单位要严格按照财务制度对基金进行管理,专款专用,精打细算。并于翌年1月底前将前一年研究经费决算表及其说明报送水保基金办。

第五章　　成果管理

第十五条　黄委会水保基金课题的研究成果,由科教外事局归口管理。专著、论文等出版、发表及报道时,需经水保基金办同意,并注明"黄委会水保基金资助项目"。成果的使用与转让按水保基金专项合同有关条款执行。

第十六条　水保科研基金课题的研究成果,必须进行验收,并按水利部与黄委会有关规定申请鉴定和申报科技进步奖。验收工作由黄委会水保基金办按《水保基金课题验收办法》组织进行。

第六章　附　则

第十七条　本办法由黄委会水保科研基金管理领导小组负责解释。

第十八条　本办法自颁布之日起施行。

（编写人员：秦鸿儒）

规范性文件

黄河水土保持生态工程规划编制大纲*

前　言

简要叙述规划任务的来源,规划的目的、要求,规划编制过程、方法,提交的成果。

第一章　基本情况

第一节　规划范围

简述规划区的位置、范围、面积、所涉及的水土流失类型区及行政区划。

第二节　自然条件

重点说明规划区的地形地貌、降水、土壤(地面物质组成)、植被、水文泥沙及风、霜、气温等有关农业的气象情况。

第三节　自然资源

包括规划区的土地资源、水资源、生物资源、光热资源、能源资源和矿藏资源的种类、储量,以及资源开发利用情况等。着重阐述水资源、土地资源和具有规模开发利用价值的特色资源开发利用情况和发展前景。

---

*　本大纲以黄水保治[2000]3号文下发。

第四节　社会经济

着重规划区分县分乡的人口、劳动力情况,交通、水利等基础设施建设情况,农村产业结构和地方经济发展状况,群众生活水平包括粮食与经济收入、人畜饮水等情况。

第五节　对当地自然条件和资源的评价

评价自然条件、资源对社会经济发展的有利因素和不利因素,对水土流失、水土保持和生态环境的影响,以及社会经济发展对水土保持生态建设的要求等。

第二章　水土流失状况和防治现状

第一节　水土流失状况

一、水土流失的特点。包括各水土流失类型的强度、面积、时空分布和产沙数量;典型小流域不同部位土壤侵蚀方式、程度和产水产沙情况等。

二、水土流失成因分析。包括自然因素和人为因素,着重人为因素对水土流失的影响。

三、水土流失的危害。主要指对当地的危害,以及对支流下游的危害。

第二节　水土保持现状

一、治理开发。简述水土保持工作主要发展过程;各项治理措施的综合配置方式,分县分乡的实施数量、质量和治理程度;科技成果和实用技术的推广应用情况,治理的典型情况等;取得的社会效益、经济效益、生态效益。

二、预防监督和监测。包括预防监督法规体系、执法体系建设情况,预防保护和监督管理开展情况及成绩,已有的监测站点和监测内容、手段、成果等监测工作开展情况。

三、水土保持的主要经验与当前存在的主要问题。

四、目前开展水土保持工程项目基本情况,包括投资渠道、数量,实施的范围、年限,计划治理面积和完成情况。

第三节　水土流失防治方向

论述目前水土保持面临的形势、任务,水土保持生态建设的发展思路。

第三章　规划的指导思想、原则与目标

第一节　规划的指导思想

针对规划区的具体特点、突出矛盾和问题,特别是实施可持续发展战略和西部大开发对水土保持生态环境建设的新要求、带来的新情况、新问题,因地制宜地提出不同的指导思想。充分体现水土保持生态环境建设是社会经济发展的保障,西部开发的根本和切入点,以节约保护、综合治理、合理开发、有效利用水土资源为主线,促进社会经济的可持续发展这一思路。

第二节　基本原则

结合规划区的具体情况,根据水土保持与经济发展、预防保护与综合治理、统筹规划与具体实施、支流与小流域和各项措施之间的关系,以及资金筹措等方面,具体确定防治原则。

第三节 规划依据

说明编制规划所依据的法律法规,技术规范、标准,全国、黄河流域及省(区)水土保持生态建设规划和专项规划,黄委会和地方有关规划的规定等。

第四节 规划期和目标

本次开展的水土保持生态工程规划基准年为 1999 年,总规划期大体确定为 10～15 年,具体期限根据规划区情况而定。

根据当地改善生态环境和社会经济发展的总体要求,在充分论证其科学性和可行性的基础上,因地制宜地合理地确定规划目标。内容应包括水土流失防治、陡坡地退耕还林还草、生态环境改善、促进社会经济发展的具体目标等。

第四章 水土保持总体布局

第一节 水土流失重点防治分区

一、预防保护区、监督区和治理区(三区)划分的依据。

二、重新划分或参照已有成果,确定"三区"各自的范围、面积。

三、对"三区"的基本情况分别加以叙述,并突出各自的特点,提出防治任务的具体要求。

第二节 治理类型区的划分

在水土保持综合调查的基础上,根据规划范围内各地不同的自然条件、自然资源、社会经济和水土流失特点,参照黄河流域水土流失类型分区进行细化,划分不同的水土保持生态建设综合治理类型区。

一、划分原则。应考虑同一治理类型区内,自然社会条件的相似性、生产发展方向和防治措施布局基本一致性和集中连片、应适当照顾行政区划的完整性等。

二、划分结果。分别概述各治理类型区的基本情况、范围和行政区划。

三、在划分不同治理类型区的基础上,提出不同治理措施的总体布局方案。

第五章　水土保持综合防治规划

第一节　土地利用规划

一、规划方法。充分利用当地已有的土地利用规划,按照水土流失治理和生态环境建设的要求,加以补充完整纳入水土保持规划。

或者,在对规划区内水土资源综合调查评价的基础上,依据当地社会经济发展规划或充分考虑地方对社会经济发展的意见,以市场经济为导向,研究确定农村经济产业结构与生产发展方向,并根据生产发展方向制定土地利用规划。

土地利用规划的制定,应充分听取地方的意见,纳入地方经济发展体系。

二、各业用地规划。提出规划的依据,包括土地资源状况、生产发展方向、可持续发展需要、人口密度等因素。

确定农、林、牧各业用地和其他用地的面积、比例和分布位置。

对原来不合理的土地利用,提出调整计划和实施意见。

第二节　治理措施配置

根据规划区内不同治理类型区,分别选定有代表性的小流域,进行典型规划,提出关键治理措施及优化治理模式。

第三节　治理措施规划

一、基本农田建设规划。阐明在土地利用规划的基础上,按照基本农田少而精和少种高产多收的原则,以当地群众对粮食的基本需求和发展经济作物、其他作物的需要等为依据,确定基本农田建设规模。

列出不同治理类型区和分县分乡包括缓坡地修建梯田、发展沟坝地和其他造地等规划面积。

二、林草措施规划。依据不同治理类型区典型小流域,计算确定规划区内经济林、水保林、种草的数量,列出不同治理类型区和分县分乡经济林、水保林、种草的数量,以及坡耕地退耕还林还草数量和封禁面积(不计治理面积)。

三、治沟骨干工程和淤地坝措施规划。根据土壤侵蚀程度、水土流失特点和沟道地形地貌特征,分别提出淤地坝、治沟骨干工程治理规划。

四、小型蓄水保土工程规划。分别提出配套沟道治理的沟头防护工程、谷坊工程、塘坝和坡面治理的水窖、涝地,以及塬边埝、田间道路等水保工程规划。

第四节　预防监督规划

一、预防保护规划。确定总规划期内和近期防止水土流失发生与发展的目标。

提出通过采取优惠政策,发布水土保持"三区"公告,建立健全管护组织机构,加强宣传提高人们的水土保持意识,严格监督、监测及封禁等措施,保障规划目标的实现。

二、监督管理规划。确定实行监督管理,防止人为水土流失的目标。

提出开发建设项目水土保持方案的编制,报批制度与"三同时"制度,监督、监测、管理等措施。

第五节 科研与推广规划

一、科学技术的作用。阐述该规划区开展科研和推广的意义、作用。

二、科研和技术推广项目。针对规划实施,提出需要开展研究的课题及选题理由;计划推广的科技成果及内容;以及推广的先进实用技术。

三、保障措施。主要说明技术依托单位、科技人员、教育培训、推广应用机制等。

第六章 投资估算和效益分析

第一节 投资估算

一、投资估算编制的依据、办法。主要根据黄委会和所在省(区)水土保持单项措施定额和投入标准,结合规划区和当前的实际情况,调研确定各项治理措施单价。

二、总投资。在分别计算各单项措施经费的基础上,分项目汇总规划区的总投资。本规划投资只计算总投资,投劳不再折资,只列投入工日数量。

第二节 效益分析

对规划防治措施实施后所产生的生态效益(含蓄水保土效益)、经济效益和社会效益分别进行计算和分析。

第七章 第一期项目区选择

第一节 项目区选择的原则

其位置应考虑:尽量集中连片、小支流流域完整,有一定的治理基础、宜于初见成效,交通方便、示范效果好,地方积极性高、保证有一定的资金匹配等。

第二节 项目区选择

项目区面积的大小,可考虑国家和地方投入多少,现状治理程度、治理的难易、五年达到验收标准,特别注意劳力平衡的论证,等等。

对于一期实施的项目区,选择两个方案,分别阐述选择的理由,对其优劣进行比较,提出倾向性意见。

对初步确定的项目区,应明确项目区范围内的支流、类型区划及包括的县、乡,简述基本情况,水土流失状况和防治现状、五年防治目标、规划措施安排及大体投资情况,等等。

第八章 规划实施的保证措施

重点阐述组织领导、政策法规、资金筹措、监督监测管理等方面的措施保证。

附 录

主要包括:

一、附表

1.基本情况表;

2. 规划成果表；

3. 投入估算表。

二、附图

1. 规划范围行政区划图；

2. 治理分区图；

3. 侵蚀模数与重点防治分区图；

4. 项目区位置图（在规划范围水系分布图上表示）；

5. 水土保持治理现状示意图（含骨干工程和大型淤地坝）。

三、附件

不同治理类型区典型小流域措施规划。

（编写人员：刘德夫、刘正杰、刘景发、秦鸿儒、刘志刚）

黄河水土保持生态工程
可行性研究编制大纲*

第一章　综合说明

一、简述项目区的选择背景。

二、简述项目区的地理位置、范围、面积,所在支流段或小支流(附项目位置示意图)。

三、简述项目区可行性研究报告编制的依据和过程。

四、简述项目建设的目标任务、实施的主要措施和技术经济指标。

五、简述项目投资。

六、简述项目效益和综合评价的结论。

第二章　项目区基本情况

第一节　自然概况

一、地形地貌。

说明项目区的侵蚀类型及其特点,包括沟壑密度、沟谷地、沟间地面积比例、高程、高差等地形地貌概况。

二、土壤、植被。

说明地面组成物质及特征,说明项目区的土壤、植被种类、状况及分布。

---

* 本大纲以黄水保[2000]7号文下发。

三、水文、气象特征。

说明项目区及邻近地区水文、气象台站和水土保持径流、泥沙观测站点的分布与观测概况。说明项目区的风、霜、气温、日照等气象特征，降水、径流、暴雨、洪水、泥沙等水文特征。

四、水资源及满足程度。

说明项目区水资源总量及分布，开发利用情况，对国民经济发展和生态环境建设的满足程度。

第二节　社会经济条件

一、简述项目区行政区划。包括所涉及的乡、村、总人口、农业人口、农业劳动力等。

二、简述项目区土地利用状况（包括土地总面积、坡度组成、利用结构）及存在的问题。

三、简述项目区农业（包括农、林、牧、工副业等）生产水平，农业经济结构比例和存在问题，农业总产值和农民收入状况。

四、简述项目区的交通、通讯、供水、供电等状况。

第三节　水土流失状况与特点

一、说明项目区主要水土流失形式、面积、流失量及其分布等。重点阐述水土流失的特点。

二、说明项目区水土流失对当地生产生活、经济社会发展以及生态环境造成的直接和间接的危害。

第四节　水土流失防治现状

一、说明项目区水土流失防治措施的现状及正在开展的重点项目，并评价其效果。

二、分析项目区水土保持的经验及存在的主要问题（重点是水土保持生态建设主要限制因素和有利条件分析）。

第三章　项目任务和规模

第一节　项目建设的指导思想

　　主要从水土保持生态环境建设、经济社会发展和改善生产生活条件等方面论述项目建设的宗旨。根据项目区建设的宗旨，结合项目区的具体情况，阐明项目建设的指导思想。

第二节　项目建设目标

　　根据已批准的《××支流水土保持生态工程建设规划》所提出的建设总体目标，关键措施布局，结合项目区水土流失特点、水土流失面积的大小、治理的基础、治理的难易，以及投资、投劳的需要与可能，合理确定项目期末和工程全面发挥效益时达到的目标，包括：水土流失治理目标；生态环境建设目标；农村经济发展目标和其他目标等。

第三节　建设任务和规模

　　一、确定开展治理的小流域。如果项目区内存在不同侵蚀类型区，首先进行类型区划分，再确定开展治理的小流域数量。
　　二、确定各项治理措施规模。
　　（一）根据项目区自然条件、社会经济条件和农村经济发展方向，按照项目区人口、社会经济和环境协调发展的要求，正确认识和处理人口对粮食的基本需求与退耕还林还草的关系，当前农业生产发展与生态环境改善的关系，以及支流（区域）规划、项目区治理基础和建设目标，分别论证提出各种治理措施规模。包括基本农田、经济林、水土保持林、种草、治沟骨干工程、淤地坝、与沟道治理配套的小型蓄水保土工程、坡面小型蓄水保土工程和田间道路等。具体做法如下：

1.基本农田建设：按照改善生态环境、兼顾农民群众生活要求的原则，根据满足农村人口粮食基本自给水平，确定基本农田建设的数量。

2.退耕还林还草、荒山绿化：遵循自然规律和经济规律，按照适地适树、宜林则林、宜草则草的原则，根据区域经济发展和市场需求，确定造林种草的数量及其林种的结构比例。

3.沟道工程建设：根据小流域水土流失的特点和规律，按照因害设防的原则和坝系相对稳定的要求，论证确定治沟骨干工程和淤地坝建设的数量。

4.小型拦蓄工程：根据项目区水资源供需要求和小流域坡面径流分布运动规律，结合生产发展需要，论证确定各种小型拦蓄工程的数量。

（以上是总体要求，不同项目区根据各自特点进行治理措施选择和论证。）

（二）按照因地制宜、因害设防的原则，根据各类小流域的情况进行综合治理方案优选，把各项措施落实到小流域，进而证明所确定的主要措施及其数量的合理性和可行性。

1.提出典型小流域（如果项目区内有不同侵蚀类型区，每个类型区选择1 2条典型小流域）的主要治理措施（梯田、果园、经济林、乔木林、灌木林和沟道工程等）的布设原则、布局方案、措施数量及结构。

2.结合各种措施的分析论证和小流域综合治理方案优选，汇总确定项目区建设的主要措施及其数量。

第四章　项目可行性论证

第一节　技术措施

一、关键措施的现有技术满足程度分析。

二、各类型区分别附1~2个典型小流域设计。

三、分别说明各种措施的建设条件、技术要求和设计标准要求。

四、提出技术推广和培训的内容、计划和要达到的目的。

第二节　经济支持

一、投资估算分析与资金筹措。

(一)说明估算投资的依据、方法、采用的定额和费用标准。

(二)分析计算出单位工程造价或治理措施单位面积投资,根据项目规模计算出总投资。

(三)资金筹措。

提出中央和地方资金筹措方案、可行性及管理意见。

二、效益分析。

(一)经济效益分析。

1.说明经济效益分析的范围和方法。

2.估算项目各项措施的经济效益和主要参数(包括各项措施的投入产出物的价格,各项措施的单位投入、产出量,各项措施的保水保土指标等)。

3.估算工程综合经济效益和主要措施的经济效益。简述各项措施增产、增收、人均收入和消费水平的提高等。

4.主要指标及计算方法。

(1)直接经济效益:

$$B = \sum B_{si}\beta_i$$

式中　B 表示效益计算内全部治理措施的总效益；B_{si} 表示各项措施的规划面积；β_i 表示各项措施单位面积的增加产值定额。

(2)增产粮食,增产果品,增加活立木蓄积量,生产薪柴,生产干草:都用单位措施面积增产量乘以措施面积来计算。

(3)人均粮食,人均收入:分别用水平年的粮食产量和总收入除以水平年的农业总人口计算。

(二)生态效益。

1.说明项目的保水保土作用及对下游的减沙作用;分析本项目对改善生态环境的作用。包括控制水土流失,改善农业生产条件,增加林草植被,减轻各种自然灾害造成的损失等。

2.主要指标及计算方法:

(1)蓄水效益:用各项措施的蓄水量之和计算,单项措施的蓄水量用单项措施数量乘以该项措施的蓄水定额计算。

(2)保土效益:用各项措施的保土量之和计算,单项措施的保土量用单项措施数量乘以该项措施的保土定额计算。

(3)林草覆盖率:各种林草措施面积除以规划区总面积求得。

(三)社会效益。

1.说明农业经济及土地利用结构的调整,土地利用率、生产率的提高和促进社会进步等效益。

2.主要指标及计算方法:

(1)土地利用率:(规划水平年土地利用面积－现状土地利用面积)÷土地总面积×100%。

(2)土地生产率:(规划水平年土地总产值－现状土地总产值)÷土地总面积×100%。

(3)劳动生产率:规划水平年各业总产值/总投工－现状各业总产值/总投工。

（4）土地利用结构。

三、经济评价。

1. 说明经济评价的依据和方法。

2. 说明经济分析的主要指标（包括计算期、基准年等）。

3. 说明项目运行费的计算方法和成果。

4. 提出项目总经济效益和主要措施的经济效益的分析成果（总经济效益、总费用、净现值、内部收益率）。

5. 提出国民经济合理性评价结论。

第三节　社会环境

1. 当地群众对项目建设的积极性。

2. 有利于项目实施的有关政策和乡规民约等。

3. 当地政府对项目建设的态度和支持程度，以及群众投劳的组织形式。

第五章　项目建设管理

第一节　项目实施与进度安排

一、项目实施。

1. 概述交通、水电等条件以及气候、农事活动等因素对施工的影响。

2. 说明建筑材料、苗木、种籽的来源状况。

3. 说明当地劳动力的技能状况及施工力量。

4. 说明各种措施施工的各种组织形式。

二、进度安排。

确定总工期（一般为 5 年左右），提出分年度实施方案。

第二节　组织管理

一、管理机构。

提出项目建设期管理的组织形式和机构设置的方案及职责。

二、管理措施。

1.明确项目法人、治理成果的产权、管护责任等。

2.提出项目监理的方案。

3.提出项目后评估的时间安排(应在工程完建后 5～10 年内进行)。

4.初拟建设期的管理办法,并对运行期的计划、财务、工程技术管理提出要求和建议。

第三节　资金管理

说明中央补助资金的使用、拨付、报账等管理方式,地方匹配资金的落实,补助群众资金的落实等。

第四节　质量管理

质量管理的目的、要求,质量监督组织、内容、方法。

第五节　监督监测

一、项目监督的目的、任务与要求。

阐述项目监督监测目的和任务,提出监督监测的基本要求。

二、监督和监测方案。

1.说明项目区监督和监测的内容、方法和监测方案。

2.提出对项目实施进度、质量和效益监测的内容、方法和监测方案。

3.提出完成上述监测的保证措施等。

第六章　综合评价

综述项目建设、投资估算和经济评价的主要成果,从社会、技术、经济、环境等方面对可行性研究进行全面评价。

附　录

一、附图

1.项目区位置图;

2.土地利用与水土保持现状图;

3.土地利用与水土保持防治规划图;

4.项目区小流域划分图;

5.典型小流域综合治理开发技术设计图。

二、附表

1.项目区基本情况表:包括气象特征表(表1)、降水特征表(表2)、土地坡度组成表(表3)、耕地坡度组成表(表4)、土地利用现状表、社会经济现状表(表5)、农业经济结构现状表(表6);

2.项目区水土流失现状表(表7);

3.项目区土地利用结构调整方案表(表8);

4.项目区水土保持治理措施现状表(表9);

5.项目区水土保持措施治理措施规划表(表9);

6.项目区治理措施进度计划表(表10);

7.项目投资表:包括项目投资估算总表(表11)、工程投资进度计划表(表12)、主要工程单价汇总表、资金筹措表(表13)等;

8.经济分析表:蓄水保土效益分析成果表(表14)、经济效益分析成果表(表15);

9.工程特性表(表16)。

三、附件

1. 典型小流域设计报告；
2. 水土保持各项措施的标准设计或典型设计；
3. 投资估算过程；
4. 经济评价报告。

表1　　　　　　　　　　　项目区气象特征表

项目区	站名	气温(℃)			≥10℃积温(℃)	年日照时数(h)	无霜期(d)	总辐射量(kJ)	大风日数(d)	平均风速(m/s)	观测年限(年)
		年最高	年最低	年平均							

注:根据建站以来的多年资料填写。

表2　　　　　　　　　　　项目区降水特征表

项目区	站名	面积(km²)	年降水量(mm)					汛期(6~9月)降水量(mm)
			最大		最小		多年平均	
			量	年份	量	年份		

表 3　　　　　　　　　项目区土地坡度组成表

项目区	总面积 (hm²)	坡度组成结构									
		<5°		5°～15°		15°～25°		>25°		小　计	
		面积	占比例	面积	占比例	面积	占比例	面积	占比例	面积	占比例
		hm²	%	hm²	%	hm²	%	hm²	%	hm²	%

表 4　　　　　　　　　项目区耕地坡度组成表

项目区	总面积 (hm²)	坡度组成结构									
		<5°		5°～15°		15°～25°		>25°		小　计	
		面积	占比例	面积	占比例	面积	占比例	面积	占比例	面积	占比例
		hm²	%	hm²	%	hm²	%	hm²	%	hm²	%

表5 项目区社会经济现状

项目区	辖区					总人口	农业人口	农业劳力	总土地面积	水土流失面积	人口密度	人均土地	人均耕地	人均基本农田	产值		纯收入	
	地	县	乡	村	户										总	人均	总	人均
	个	个	个	个	万户	万人	万人	万个	km²	km²	人/km²	hm²	hm²	hm²	万元	元	万元	元

规范性文件   · 145 ·

表6

项目区农业经济结构现状表

项目区	总产值（万元）									各业产值占总产值比例（%）								
	农业				林业	牧业	副业	渔业（其他）	果园	合计	农业				林业	牧业	副业	渔业（其他）	果园	合计
	粮食	油经	其他	小计							粮食	油经	其他	小计						

表7

项目区水土流失现状表

县名	总面积(km²)	水土流失面积(km²)	其中											侵蚀模数 t/(km²·a)	沟壑密度 (km/km²)
			轻度	占%	中度	占%	强度	占%	极强	占%	剧烈	占%			

注：项目区内如有不同类型区，则按不同类型区填表；侵蚀模数用不同侵蚀强度加权平均计算。

表8　项目区土地利用结构调整方案表

（单位：hm²）

时段	项目区	农地						果园	林地				牧草地			水域			
		坡耕地	基本农田				小计		乔木	灌木	经济	小计	人工	天然	小计	河流水面	水库水面	其他	小计
			梯田	坝地	水地	其他													
现状																			
规划																			
现状																			
规划																			

时段	项目区	荒地							其他利用					面积合计	土地利用比例（%）							
		未利用地					合计	小计	城镇	村庄	工矿	道路	其他		农地	果园	林地	牧草地	水域	未利用地	其他用地	合计
		盐碱地	裸土地	沙地	其他																	
现状																						
规划																						
现状																						
规划																						

表9　　项目区水土保持治理措施现状及规划表

（单位：hm²）

时段	项目区 水土流失总面积	基本农田					人工造林				果园	人工种草	其他	措施面积合计	治理度（%）		其他
		梯田	坝地	水地	其他	小计	乔木	灌木	经济	小计					占总面积	占流失面积	
现状																	
规划																	
现状																	
规划																	

时段	项目区	骨干工程				淤地坝（塘坝）				沟头防护	谷坊	涝池	其他
		座数	总库容	淤积面积	淤积量	座数	总库容	淤积面积	淤积量	km	道	个	
		座	万 m³	hm²	万 m³	座	万 m³	hm²	万 m³				
现状													
规划													
现状													
规划													

注：以县为单位填写。表中未列的措施可增添。

表10　项目区治理措施进度计划表

（单位：hm²）

项目区	年份	总面积	水土流失面积	基本农田				人工造林				果园	人工种草	其他	措施面积合计	治理程度(%)	年治理进度(%)
				梯田	坝地	其他水地	小计	乔木	灌木	经济	小计						

项目区	年份	水保工程					工程量			材料							投劳
		骨干工程	淤地坝	谷坊	沟头防护	苗圃	土方	石方	混凝土方	水泥	钢材	木材	柴油	炸药	树苗	草种	
		座	座	座	个	hm²	万 m³	万 m³	万 m³	t	t	m³	t	t	万株	t	万工日

注：治理程度指治理保存面积占适宜治理的水土流失面积的百分比。

表 11　　　　　　　　项目投资估算总表

项　目	单　位	项目区	备　注
总投资	万　元		
治理面积	km²		
单位面积投资	万元/km²		
(一)治理措施	万　元		
梯　田	万　元		
坝　地	万　元		
水　地	万　元		
乔　木	万　元		
灌　木	万　元		
经果林	万　元		
苗　圃	万　元		
种　草	万　元		
骨干工程	万　元		
淤地坝	万　元		
小型工程	万　元		
(二)其他费用	万　元		
勘测设计	万　元		
科技推广	万　元		
培训监测	万　元		
管　理	万　元		
监　理	万　元		

表 12

项目区投资进度计划表

（单位：万元）

项目区	年份	一、治理措施费														
		基本农田				林草措施						其他水保工程				
		梯田	坝地	其他水地	合计	乔木林	灌木林	经济林	果园	苗圃	草地	骨干坝	谷坊	沟头防护	涝池	小计

项目区	年份	二、其他费用								合计	基本预备费	价差预备费	总计
		勘测设计	调研推广	培训	监督监测	工程监理	管理费	其他	小计				

表13

资金筹措表

（单位：万元）

省（区）	县（市）	项目区总面积（km²）	中央投资	地方匹配	群众自筹	合　计

表14

蓄水保土效益分析成果表

项　目	基准年	各种措施蓄水保土量							负效益	总计
		基本农田	造林	种草	淤地坝	骨干坝	小型工程	小计		
保土（万t）										
蓄水（万m³）										

表 15　　　　经济效益分析成果表

项　目	单　位	指　标	备　注
总经济效益	万　元		
总　费　用	万　元		
净　现　值	万　元		
内部收益率	%		

表16   **工程特性表**

序号及名称		单 位	数 量	备 注
一、建设条件				
1.项目区面积		km²		
2.项目区人口		万人		
3.农业人口		万人		
4.多年平均降水量		mm		
7.多年平均气温		℃		
8.森林覆盖率		%		
9.水土流失面积		km²		
10.土壤侵蚀模数		t/(km²·a)		
11.治理面积		km²		
12.治理度		%		
二、设计标准				
工程防御暴雨标准	(P=10%)	mm		
	(P=20%)	mm		
三、工程规模				
1.综合治理面积		km²		
基本农田		hm²		
水土保持林		hm²		
经济林果		hm²		
种草		hm²		
封禁治理面积		hm²		

续表 16

序号及名称	单　位	数　量	备　注
2.骨干工程	座		
3.小型工程	座		
四、施工			
1.土石方量	万 m^3		
2.总用工日	万工日		
3.施工期限	年		
五、工程效益			
1.年拦泥沙能力	万 t		
2.年蓄水能力	万 t		
3.林草覆盖率	%		
4.累计治理度	%		
5.经济效益	万元		
六、经济指标			
1.总投资	万元		
2.单位治理面积投资	万元/km^2		
3.效益费用比			
4.经济净现值	万元		
5.内部收益率	%		

（编写人员：刘正杰、刘景发、刘志刚、秦鸿儒）

黄河水土保持生态工程小流域综合治理初步设计编制大纲[*]

前　言

简述编制小流域综合治理工程初步设计任务的目的,工程设计的原则、要求,执行的有关规程、规范,提交的成果。

第一章　基本情况

第一节　流域概况

简述小流域所在位置、面积,水土流失面积,海拔高程和相对高差等地理环境。

第二节　自然条件

简述小流域的自然条件,包括:

一、地形地貌。

(一)沟道情况:干沟长度,主要支沟长度;流域平均沟壑密度(km/km²);沟壑面积占总面积的比例;干沟和主要支沟的平均比降;干沟和主要支沟沟底宽度和沟谷坡度(上、中、下游分别说明)。

(二)地面坡度组成:各种坡级的土地面积及所占百分比(包括<5°、5°~15°、15°~25°、>25°)。

---

　* 本大纲以黄水保[2000]7号文下发。

二、土壤类型(地面物质组成):小流域内土壤类型及其分布状况。

三、植物资源:主要树、草种类、面积,主要植被类型及覆盖率、分布情况。

四、水文、气象。

(一)降雨:多年平均降雨量及年内分布,最大、最小年降雨量。10年、20年一遇24小时、3~6小时最大降雨量。暴雨出现的季节、雨量,占年降雨量的比重情况。年均蒸发量。沟道泉水及沟道基流情况。

(二)光热资源:最高、最低及年平均气温,大于等于10℃的积温。年均日照时数,无霜期,早晚霜起止时间。

(三)水资源:水资源总量、开发使用现状、供需情况。

第三节　土地利用及其评价

一、土地利用现状:按照农地、林地、草地、果园与经济林、荒地、水域、其他用地(工矿、居民点、道路等)及难利用地(峭壁、裸岩、石沟床等)内容,分别调查面积、坡度组成与利用情况。

二、土地生产力现状:不同土地条件下,农、林、草、经济林果等单位面积产量分析。

三、土地利用结构合理性分析:土地利用现状是否合理,存在的主要问题及调整的基本思路与原则。

第四节　社会经济状况

一、行政区划。

包括所属乡、村和自然村,村庄在流域中的分布。

二、人口与劳力。

人口总量、人口密度、人口自然增长率,农业人口和农业劳动力总量,每年可用于水土保持的时间(天)等。

三、农村生产情况。

简述农村产业结构及农业生产情况。农、林、牧、工副各业年产值,各业产值分别占农村总产值的比重。

四、近十年平均粮食总产与人均粮食,总收入与人均收入情况。燃料、饲料、肥料供应与短缺的情况。

第五节　水土流失与治理现状

如果小流域内存在不同的侵蚀类型,应先进行类型区的划分,并叙述不同类型区的基本情况,包括:

一、水土流失状况。

主要侵蚀方式、分布和面积,侵蚀强度,产沙特点及数量。人为水土流失状况。

二、水土保持现状。

已开展的投资项目和主要措施的保存面积,效益状况,技术方面存在的和需要解决的主要问题。水土保持预防监督工作开展情况。

第二章　小流域建设任务与技术设计

第一节　建设任务与目标

一、任务。

根据已批准的黄河水土保持生态工程可行性研究所提出本区的建设目标和工程任务,从本条小流域水土流失特点、土地资源、水资源、地形地貌等自然生态条件出发,按照因地制宜,因害设防,科学治理,保护、开发和有效利用水土资源的原则,对可行性研究报告中提出的本条小流域综合治理措施及其建设规模,进行分析论证,合理布局。同时提出建设期末各项治理措施所要达到的定量效益指标。

二、目标。

(一)水土流失治理目标。净增治理程度(治理保存面积与适宜治理的水土流失面积比值的百分比),期末累计达到的治理程度。防护体系建设及减少水土流失达到的水平等。

(二)土地利用结构调整目标。包括农、林、牧等各业用地和其他用地面积、比例。说明基本农田、造林、种草累计达到数量、人均数量。

(三)生态环境建设目标。造林保存面积、种草保存面积,林草面积达到宜林宜草面积的比例,人为水土流失控制程度,水保工程度汛安全。

(四)土地生产力发展目标。农村人口粮食基本自给程度,果品、饲草等的单位面积的增长指标以及总产量的发展指标。

(五)其他目标。解决生产、生活用水问题,道路交通、防洪保安、脱贫致富,培育、发展主导产业的目标等。

第二节　小流域综合治理技术设计

根据预防保护与治理开发相结合的原则,以及小流域水土流失特点,按照因害设防和节约保护、综合治理,以及合理开发有效利用水土资源的要求,提出综合防治体系建设方案及其各种措施的配置(数量、布局及位置等)设计。

第三章　关键措施技术设计

在确定各种水土保持单项措施的数量与布局的基础上,根据不同措施及其重要性,按照不同工程的内容、标准,分别进行设计。

第一节　基本农田工程设计

一、按照确定的需修建水平梯田和其他基本农田的位置及数量,确定不同坡度标准(一般 5°为一个档次)的建设数量,落实到具体地块(规划图图斑,下同)。

二、对不同坡度标准的基本农田,分别作出技术设计(设计时应注意,禁垦坡度以上不得修建梯田,梯田地块既要相对集中又要防止"一梯到顶")。

第二节　造林、育林设计

一、宜林地立地条件划分。

二、遵照适地适树的原则,选择适宜的树种、林型,并落实到地块。

三、对各种林型进行典型技术设计。包括整地要求、种植密度、栽培技术、苗木要求、抚育管理等(需要建立苗圃的小流域要进行苗圃设计)。

对封山育林,凡经 3~5 年封育覆盖率达不到 70% 以上的地方,不计算治理面积。

第三节　人工种草(人工草场、改良草场)设计

一、人工草地的立地条件划分。

二、确定人工种草面积、天然草场改良面积,以及具体分布的地块位置。根据立地条件和畜牧业发展要求选择适宜草种。

三、编制各种人工种草类型的典型设计。包括草种、种植技术、抚育管理、利用方式等。

四、对改良草场,提出补种技术和封育管护措施等。

第四节　沟道工程设计

一、查清现有沟道治理工程的数量、规模和工程所在位置。

二、根据小流域沟道特点及现有工程情况,提出沟道工程(治沟骨干工程、淤地坝、小型蓄水保土工程等)的类型与数量。确定建设期内实施建设的治沟骨干工程和中型淤地坝数量。

三、按照相对稳定的原则进行沟道坝布局设计(工程的布局、建设顺序等)。

四、对拟建的治沟骨干工程和中型淤地坝作出单项工程设计。

五、对小型淤地坝和小型蓄水保土工程(谷坊、塘坝等)分别作出典型设计。

第五节　其他工程设计

该项工程包括塬边埂、田间道路和小型人畜饮水、灌溉(水窖、涝池)等,阐述工程布设的原则,各类工程的数量。

对工程分项目作出标准设计(塬边埂、田间道路作出标准断面设计)。

第四章　分年实施计划和项目管理

第一节　分年实施计划

根据工程进度的要求和劳力调配、资金落实等情况,合理安排建设期内每年的实施计划。列表说明每年计划完成的工程项目、分类的措施数量(治沟骨干工程和淤地坝要计算出工程量),并分项目分年度落实到地块(实施计划图)。

第二节　项目管理

从"三项制度"执行、施工组织形式、质量、进度保证、管理运行方式等方面,说明小流域综合治理施工管理办法、技术保障措施、监督、监理以及工程实施后的管理等,确保项目建设目标的实现。

第五章　投资概算和资金筹措

第一节　投资概算

一、说明投资概算编制的原则、依据。包括采用的各项工程措施单位面积造价和土石方单价、分种类材料价格、投劳工日的计算依据等。

二、根据定额标准，计算列出分项工程投资并汇总列出总投资。分别提出分项工程投资概算表、投资概算总表和分年度分项目投资概算表。投资概算表应包括：工程所需要的劳动总工日，分年度所需工日；工程所需物质种类、数量和规格要求；总投资和单项工程投资、单位面积造价等。

第二节　资金筹措

按照可研报告提出的原则意见，落实提出国家投资、地方各级政府投资、群众集资和投劳的数量、比例，并列表说明。

附　图

一、小流域行政区划图(插入报告中)。

二、水土流失现状图(1/10 000图)。

三、土地利用与水土保持现状图(1/10 000图)。

四、土地利用规划图(1/10 000图)。

五、水土保持措施规划图(1/10 000图)。

六、各主要措施典型设计图。

注:附图应按常规通用图例和水土保持专业图例的统一规定绘制。

附　表

附表包括表 1～表 10。

表1　　自然条件与水土流失现状表

项　目	地貌特征	沟壑密度 (km/km²)	地面组成物质	林草被覆度 (%)	年降雨量 (mm)	年径流深 (mm)	年均气温 (℃)	无霜期 (天)	≥10℃积温 (℃)	流失面积 (km²)	年侵蚀模数 (t/km²)	水土流失特征

注:1.表1中主要水热条件须注明资料年限序列。

2.填写本套表时,如果小流域内有不同水土流失类型区,则按不同类型区填表。

表2　土地、人口、劳力情况表

项目	县	乡	总面积 (km²)	人口(人)		劳力(个)		人口密度 (人/km²)	人均土地 (hm²/人)		地面积 (hm²)	人均耕地面积 (hm²/人)	
				总	农村	总	农村		总	农村		总	农村

表3　　　　　　　土地利用情况表　　　（单位：hm²）

项目	合计	农地	林地	草地	园地	水域	其他用地	荒地	未利用地	备注
<5°										
5°~15°										
15°~25°										
>25°										

表 4

农村产业结构与产值表

项目	农村各业产值(元)						农村各业产值比例(%)						人均(元)		粮食总产	人均粮食
	小计	农业	林业	牧业	副业	其他	小计	农业	林业	牧业	副业	其他	年产值	年收入	(万 t)	(kg/人)

表 5　　水土保持措施现状表

项目	面积(km²)		治理面积 hm²	基本农田 hm²	经果林 hm²	水保林 hm²	种草 hm²	封禁 hm²	治沟骨干工程 座	淤地坝 座	小型工程 座	道路工程 km	治理程度 %
	总	流失											

表6 水土保持坡面措施规划表

项　目	合　计 hm²	基本农田 hm²	经果林 hm²	水保林 hm²	种　草 hm²	封　禁 hm²	其　他 hm²	完成治理面积 km²	期末达到治理程度 %
合　计									
第一年									
第二年									
第三年									
第四年									
第五年									

表7　　沟道和其他工程规划表

项　目	治沟骨干工程 座	淤地坝 座	谷坊 座	塘坝 座	沟头防护 处	水窖 眼	涝池 个	塬边埂 m	道路工程 km	其　他
合　计										
第一年										
第二年										
第三年										
第四年										
第五年										

表8　　水土保持坡面措施分年度投资概算表　　（单位：万元）

项　目	合　计	基本农田	经果林	水保林	种　草	封　禁	其　他
合　计							
第一年							
第二年							
第三年							
第四年							
第五年							

表9

沟道和其他工程分年度投资概算表

（单位：万元）

项目	合计	治沟骨干工程	淤地坝	谷坊	塘坝	沟头防护	水窖	涝池	塬边埂	道路工程	其他
合计											
第一年											
第二年											
第三年											
第四年											
第五年											

表 10   水土保持防治措施投劳估算表

项目	合计	基本农田	经果林	水保林	种草	封禁	治沟骨干工程	淤地坝	小型工程	道路工程	其他
投资（万元）											
投劳（工日）											
土石方（m³）		/	/	/	/	/					

（编写人员：刘景发、刘正杰、秦鸿儒、刘志刚）

黄河水土保持生态工程设计概(估)算编制办法及费用标准*

(试　行)

一、总　则

1.为了适应社会主义市场经济要求,加强水土保持生态工程造价管理与控制,统一概算编制的原则、方法和标准,合理确定工程建设投资,根据水利部有关规定并结合黄河水土保持生态工程的具体情况,制定本办法。

初步设计是水土保持生态工程建设程序中的一个重要阶段,初步设计概算(以下简称设计概算)是初步设计文件的重要组成部分,在编制初步设计文件时,必须编制设计概算。

由于水土保持治沟骨干工程在设计、施工及管理上具有相对独立性,因此,在编制水土保持治沟骨干工程初步设计时,每座工程应单独编制设计概算。

经上级批准的设计概算,是确定和控制基本建设投资,编制基本建设计划,编制工程招标的标底,实行建设项目投资包干,考核工程造价和验核工程经济合理性的依据。

2.设计概算须由设计单位或有相应资质的造价咨询单位编制。编制单位要严格执行国家的方针、政策、法令和有关规章制度,以提高工程的经济效益和社会效益作为设计工作的指导思想,保证设计深度满足概算要求,提高设计概算的准确性,保证设计概

---

*　本办法及标准以黄规计[2001]133号文下发。

算的质量。

概算编制人员要坚持原则,实事求是,深入现场,认真调查研究,收集掌握第一手资料,了解工程设计情况,正确选用定额、标准和价格,认真编好概算。

设计概算质量是评审设计文件质量的重要内容之一。设计概算的深度和质量如达不到设计要求,设计单位应予以重编。

3.设计概算按编制年工程所在地的市场价格水平计算。应根据工程资金来源和工程所在地区的实际情况,据实计算。对于施工期内的价格上涨因素,应在价差预备费中考虑。

设计概算应在已批准的可行性研究报告估算总投资的控制下进行编制。设计概算编制采用的价格水平年与工程开工时间不在同一年份时,设计单位应根据开工年的物价和政策在工程开工年重新报批。

4.可行性研究阶段采用本办法编制投资估算时,工程单价扩大10%。

5.本办法适用于黄河水土保持生态工程项目。

二、编制依据

1.国家和上级主管部门颁发的有关法令、制度、规程;

2.黄河水土保持生态工程设计概(估)算编制办法及费用标准;

3.黄河水土保持生态工程概算定额;

4.按国家规定必须执行地方颁发的有关规定、标准和定额;

5.初步设计有关资料和图纸;

6.国家和工程所在省(区)的设备、材料价格;

7.有关合同协议;

8.其他。

三、组成内容

编制设计概算书应包括以下三方面内容:编制说明、设计概算表和附件。

(一)编制说明

1.工程概况。包括工程范围、规模,主要工程量、材料用量,施工总工期、总工日等。治沟骨干工程还要说明枢纽组成、布置形式、对外交通等情况。

2.投资主要指标。工程总投资和静态投资,单位面积投资,各项措施单位面积(或单位工程)投资,资金来源和投资比例。治沟骨干工程设计概算书中还包括单位库容投资,单位工程量投资,单位淤地面积换库容。年物价上涨指数,价差预备费额度和占总投资的百分比等。

3.编制依据和主要问题。

(1)设计概算编制依据;

(2)人工,主要材料,施工用水、电、风,砂石料等基础单价的计算或采用依据;

(3)主要设备价格的编制依据;

(4)建筑安装工程定额,指标采用依据;

(5)费用计算标准及依据;

(6)工程资金来源。

4.设计概算编制中其他应说明的问题。

5.主要技术经济指标表。

(二)设计概算表

1.总概算表;

2.建筑工程概算表;

3.设备及安装工程概算表;

4.临时工程概算表；

5.独立费用概算表；

6.分年度投资表；

7.工程单价汇总表；

8.主要材料预算价格汇总表；

9.主要工程量、工日数和材料量汇总表。

(三)附件

1.施工用水、电、风价格计算表；

2.施工机械台班费计算表；

3.工程单价计算表；

设计概算表及其附件，可以根据工程实际情况进行取舍，但不能合并。

四、费用组成及项目划分

水土保持生态工程费用由基本费和预备费两部分组成。其中基本费包括建筑工程费、设备及其安装工程费、临时工程费和独立费用四部分，预备费包括基本预备费和价差预备费。各部分的一、二、三级项目设置如下。

(一)第一部分　建筑工程

本部分由坡改梯工程、小型水保工程、治沟骨干工程、造林工程、种草工程和苗圃建设共六项组成。

1.坡改梯工程：

包括水平梯田工程和坡式梯田工程。

2.小型水保工程：

包括小型淤地坝、谷坊、沟头防护、塘坝、涝池、蓄水池、截水沟、排水沟、水窖和人字闸等工程。

3.治沟骨干工程(含大中型淤地坝)：

包括挡水工程、放(引)水工程、泄(排)洪工程、泵站工程、灌溉(供水)渠系工程和其他工程。

(1)挡水工程:包括拦河挡水的各类土(石)坝工程。

(2)放(引)水工程:包括为放空库容和引水灌溉而设置的卧管(竖井)、涵管和明渠等工程。

(3)泄(排)洪工程:包括宣泄洪水的溢洪道、泄洪洞及排洪渠道工程。

(4)泵站工程:包括扬水、灌溉泵站工程。

(5)灌溉(供水)渠系工程:包括明渠、暗渠、倒虹吸以及渠系工程上的其他附属建筑物。

(6)其他工程:包括供电线路工程及其他配套设施工程。

4.造林工程:

包括造林整地工程和造林工程。

5.种草工程:

包括种草整地工程和种草工程。

6.苗圃建设:

包括房屋建筑工程、灌溉渠系工程、整地工程及其他。

(二)第二部分 设备及安装工程

指构成固定资产的全部设备及安装工程,包括排灌设备、监测设备和其他设备三项内容。

(三)第三部分 临时工程

本部分由导流工程、施工道路工程和房屋建筑工程共三部分组成。

1.导流工程:

包括导流洞、导流明渠、施工围堰等工程。

2.施工道路工程:

包括为工程建设服务的临时道路、桥、涵等工程。

3.房屋建筑工程:

包括为工程建设服务的临时施工仓库、工棚等建筑。

(四)第四部分　独立费用

由建设管理费、科研勘测设计费、施工期水土保持监测费、工程质量监督费、植物措施管护费共五项组成。

1.建设管理费。

指建设单位在工程项目筹建和建设期间进行管理工作所需的费用。包括建设单位经常费、工程建设监理费、项目建设管理费和建设及施工场地征用费共四项。

(1)建设单位经常费。指建设单位自批准组建之日起至建设单位完成该工程建设管理任务之日止,需开支的经常费用。主要包括工作人员基本工资、辅助工资、工资附加、劳动保护费、教育经费、劳动保险基金、办公费、差旅交通费、审计费、招待费、会议费、交通车辆使用费、低值易耗品摊销费、工具用具使用费、招标业务费、施工所需的气象报汛费用、工程验收费、水电费、取暖费等,以及其他管理性质的开支费用。

(2)工程建设监理费。指依据监理委托合同支付给工程建设监理单位的费用。

(3)项目建设管理费。指在该工程筹建及建设过程中用于筹措资金、咨询、招投标协调工作、视察工程建设所发生的会议、差旅以及保卫、消防等费用。

(4)建设及施工场地征用费。指设计确定的建设及施工场地范围的永久征地及临时占地,以及地上附着物的迁建补偿费用。包括土地补偿费,安置补助费,青苗、树木等补偿费,以及建筑物迁建和居民迁移费等。

2.科研勘测设计费。

包括科学研究试验费、规划统筹费和勘测设计费三项。

(1)科学研究试验费。指在工程建设过程中,为解决工程的技术问题进行的必要的科学研究试验所需的费用。

(2)规划统筹费。指项目主管部门用于项目前期规划统筹工作的费用。

(3)勘测设计费。指可行性研究、初步设计和施工图设计(含招标设计)阶段所发生的勘测费、设计费和为勘测设计服务的科研试验费用。

3.施工期水土保持监测费。

指工程施工期间为了及时、准确地掌握水土保持治理效益而设置的有关监测、评价系统运行费。

4.工程质量监督费。

指为保证工程质量而进行的检测、监督、检查工作等费用。

5.植物措施管护费。

指为防止人为损害,提高植物措施存活率而进行的必要的管护工作费用。

(五)预备费

由基本预备费和价差预备费两项组成。

1.基本预备费。

主要为解决在施工过程中,经上级批准的设计变更所增加的工程项目所需费用。

2.价差预备费。

主要为解决在工程建设过程中,因材料、设备价格上涨和人工费标准、费用标准调整而增加的费用。

本项目划分,概算、预算、计划、统计、财务各专业部门原则上应统一一致,第三级项目可根据工程实际情况增删调整。

项目划分

第一部分　建筑工程

序号	一级项目	二级项目	三级项目	技术经济指标
一	坡改梯工程			
1		水平梯田工程		
			人工土坎梯田	元/hm²
			机修土坎梯田	元/hm²
			人工石坎梯田	元/hm²
			机修石坎梯田	元/hm²
2		坡式梯田工程		
			土坎坡式梯田	元/hm²
			草带坡式梯田	元/hm²
			灌木带坡式梯田	元/hm²
二	小型水保工程			
1		小型淤地坝		
			土方挖、填	元/m³
			砌石	元/m³
			混凝土	元/m³
2		谷坊	(同小型淤地坝)	
3		沟头防护	(同小型淤地坝)	
4		塘坝	(同小型淤地坝)	
5		治河造地	(同小型淤地坝)	
6		引洪漫地	(同小型淤地坝)	
7		涝池	(同小型淤地坝)	

续第一部分

序号	一级项目	二级项目	三级项目	技术经济指标
8		蓄水池	(同小型淤地坝)	
9		截水沟、排水沟	(同小型淤地坝)	
10		水窖		
			土方挖、填	元/m³
			砌石	元/m³
			砌砖	元/m³
			混凝土	元/m³
11		人字闸		
			砌石	元/m³
			钢筋混凝土	元/m³
三	治沟骨干工程			
(一)	挡水工程			
1		拦河土(石)坝工程		
			土方开挖	元/m³
			石方开挖	元/m³
			土料填筑	元/m³
			反滤体填筑	元/m³
			坝体(坝址)堆石	元/m³
(二)	放(引)水工程			
1		卧管(竖井)工程		
			土方开挖	元/m³
			石方开挖	元/m³

续第一部分

序号	一级项目	二级项目	三级项目	技术经济指标
			土石方回填	元/m³
			砌石	元/m³
			混凝土	元/m³
2		涵洞(卧管)工程	(同卧管竖井工程)	
3		明渠工程	(同卧管竖井工程)	
(三)	泄(排)工程	(同卧管竖井工程)		
1		溢洪道工程	(同卧管竖井工程)	
2		排洪渠工程	(同卧管竖井工程)	
3		泄洪洞工程	(同卧管竖井工程)	
(四)	泵站工程			
1		扬水站工程		
			土方开挖	元/m³
			石方开挖	元/m³
			土石方回填	元/m³
			砌石	元/m³
			混凝土	元/m³
			钢筋混凝土管(钢管)	元/m
			厂房建筑	元/m²
(五)	灌溉(供水)渠系工程			
(六)	其他工程			

续第一部分

序号	一级项目	二级项目	三级项目	技术经济指标
1		供电线路工程		元/km
2		房屋工程		元/m²
四	造林工程			
1		造林整地		
			水平犁沟整地	元/hm²
			窄梯田整地	元/hm²
			水平阶整地	元/hm²
			水平沟整地	元/hm²
			鱼鳞坑整地	元/hm²
			大果树坑整地	元/hm²
2		造林		
			荒地造林	元/hm²
			铺设沙障	元/hm²
			沙地造林	元/hm²
五	种草工程			
1		种草整地		元/hm²
2		种草		
			人工种草	元/hm²
			草皮铺种	元/m²
六	苗圃建设			
1		房屋建筑工程		元/m²
2		灌溉渠系工程		元/m

第二部分　设备及安装工程

序号	一级项目	二级项目	三级项目	技术经济指标
3		整地工程		元/m²
4		其他		元
一	排灌设备			
1		水泵设备及安装		元/台
2		闸门设备及安装		元/台
3		启闭设备及安装		元/台
4		钢管制作及安装		元/t
二	监测设备			
1		观测设备及安装		元/台
2		通讯设备及安装		元/台
3		电器设备及安装		元/台
		其他设备及安装		元/台
三	其他设备			

第三部分　临时工程

序号	一级项目	二级项目	三级项目	技术经济指标
一	导流工程			元/m³
二	施工道路工程			元/km
三	房屋建筑工程			
1		仓库		元/m²
2		工棚		元/m²

第四部分　独立费用

序号	一级项目	二级项目	三级项目	技术经济指标
一	建设管理费	1. 建设单位经常费 2. 工程建设监理费 3. 项目建设管理费 4. 建设及施工场地征用费		元
二	科研勘测设计费	1. 科学研究试验费 2. 规划统筹费 3. 勘测设计费		元
三	施工期水土保持监测费			元
四	工程质量监督费			元
五	植物措施管护费			元

五、编制方法

(一)编制的一般程序

1. 了解工程情况;

2. 编写工作大纲;

3. 编制基础单价;

4. 编制各项措施单价和调差系数;

5. 编制材料、施工机械台班、各项措施单价汇总表;

6. 编制坡改梯工程等分部工程概算;

7. 编制分年度投资;

8. 汇总总概算和编写编制说明;

9. 审查、修改;

10.资料归档。

(二)了解工程情况

1.了解工程情况,包括工程当地自然条件、社会经济状况、劳动力状况、水土流失和水土保持现状、施工进度安排、主要材料用量等,治沟骨干工程还应了解工程地质、工程规模、工程布置、主要水工建筑物的结构形式和主要技术数据,施工总体布置,对外交通条件,施工进度及主体工程的施工方法。

2.治沟骨干工程还要深入现场了解枢纽工程及施工场地布置情况,场内交通运输条件和物资运输方式。

3.向上级主管部门和当地劳务、计划、基建、税收、物资供应、交通运输部门及厂家收集编制概算所需的各种资料和有关规定。

(三)编写工作大纲

1.确定编制原则与依据;

2.确定计算基础价格的基本条件与参数;

3.确定编制概算单价采用的定额、标准和有关数据;

4.落实编制人员、进度及提交成果时间。

(四)基础单价编制

1.人工预算单价。

根据水利部水建〔1998〕15号文件,并结合黄河流域实际情况,人工预算单价执行下列标准,编制概算时可直接查表选用,未经许可不得调整。

人工预算单价表　　　　　　　　　（单位:元）

工资区类别					
六类	七类	八类	九类	十类	十一类
13.08	13.28	13.47	13.67	13.87	14.07

2.畜工预算单价。

畜工预算单价牛、驴为当地人工单价的 1.6 倍,骡、马为 2.2 倍。

3.材料预算价格。

包括定额工作内容规定应计入的未计价材料和计价材料。

(1)水泥、钢材、木材、炸药、柴油、汽油、砂石料一般应编制材料预算价格。材料预算价格一般包括材料市场原价、包装费、运杂费、运输保险费和采购及保管费等五项。计算公式为:

材料预算价格=(材料市场原价+包装费+运杂费
+运输保险费)×(1+采购及保管费率)

采购及保管费率取 4%。

(2)其他材料(如化肥、种籽、苗木、柴草等)的预算价格采用工程所在地市场价。

(3)外购砂、碎石(砾石)、块石、料石等预算价,超过 60 元/m³ 的部分计取税金后列入相应部分之后。

4.施工用电价格。

施工用电价格按当地供电部门规定计算。

5.机械使用费。

根据《黄河水土保持生态工程概算定额》中施工机械台班费定额及有关的规定计算。对缺项的施工机械定额,可参照 1991 年由水利部、能源部颁发的《水利水电工程机械台班费定额》。

6.混凝土材料单价。

根据设计确定的混凝土标号、级配,分别计算出水泥、掺合料、砂石料、外加剂和水的每立方米混凝土材料单价,计入相应的混凝土工程单价内。其混凝土配合比的各项材料用量,可参照附录混凝土配合比表计算。

(五)建筑工程单价编制

1.建筑工程单价组成。

建筑工程单价由直接工程费、间接费、计划利润和税金组成。

组织民工施工的工程不计计划利润和税金。

(1)直接工程费是指建筑工程中直接消耗在工程项目上的活劳动和物化劳动,包括直接费和其他直接费两部分。

1)直接费包括人工费、材料费和机械使用费,根据《黄河水土保持生态工程概算定额》以及人工、材料预算价格和机械台班费价格进行计算。

2)其他直接费包括冬季雨季施工增加费、夜间施工增加费、小型临时设施摊销费及其他,费率统一取 2%。

(2)间接费是指工程施工过程中构成成本,但又不直接消耗在工程项目上的有关费用。包括管理人员人工费、施工人员培训费、办公费、差旅费、交通费、固定资产使用费、管理用具使用费、财务费和其他费用。

间接费费率表

工程类别	计算基础	间接费率(%)
土石方工程	直接费	3
混凝土工程	直接费	3.5
植物工程	直接费	4

(3)计划利润是指按规定计入建筑安装工程费用中给施工企业的利润,按直接费与间接费之和的 3% 计算。组织民工施工的工程不计此项费用。

(4)税金是指国家对施工企业承担建筑、安装工程作业征收的营业税、城市维护建设税和教育费附加。税金费率按 3.22% 计算。组织民工施工的工程不计算税金。

2.建筑工程单价表列式。

(1)直接工程费 = 直接费 + 其他直接费。

直接费 = 人工费 + 材料费 + 机械使用费

$$其他直接费＝直接费×其他直接费率$$

(2)间接费＝直接费×间接费率。

(3)计划利润＝(直接费＋间接费)×计划利润率。

(4)税金＝(直接费＋间接费＋计划利润)×税金费率。

(5)单价合计＝直接工程费＋间接费＋计划利润＋税金。

(六)分部概算编制

1.第一部分　建筑工程

(1)建筑工程投资按设计工程量乘单价进行编制。

(2)工程项目划分,一、二级项目应执行本办法中的有关规定,三级项目可根据设计工作深度要求增列项目。

(3)工程量的计算,应按项目划分的要求,计算到三级项目。

2.第二部分　设备及安装工程

按设备数量乘单价计算其设备费。需要安装的设备安装费按设备费的2%计算。

3.第三部分　临时工程

(1)导流工程。导流工程投资采用设计工程量乘单价进行计算。

(2)施工道路工程。施工道路工程投资按工程量乘单价计算,也可参照工程所在地区造价指标编制。

(3)房屋建筑工程。临时性房屋建筑面积由施工组织设计确定。单位造价指标根据当地条件分析确定,一般取 80～100 元/m²。

4.第四部分　独立费用

(1)建设管理费。包括建设单位经常费、工程建设监理费、项目建设管理费、建设及施工场地征用费等。

①建设单位经常费取建安工作量的1%。

②工程建设监理费按建安工作量的百分率累计计算,具体取费标准如下表:

工程建设监理取费标准

建安工作量(万元)	监理取费(%)
500 以下	2.80
500~1 000	2.50
1 000~5 000	2.00
5 000~10 000	1.40
10 000~50 000	1.20
50 000 以上	0.80

③项目建设管理费按建设单位经常费及工程建设监理费之和的 15%计取。

④建设及施工场地征用费按实际情况依据工程所在省(区)有关规定计算。

(2)科研勘测设计费。

①科学研究试验费按上级批准的科学研究试验项目经费计列,无科学研究试验项目的不列。

②规划统筹费按勘测设计费的 10%计算。

③勘测设计费按第一至第三部分之和的百分率计算,具体取费标准如下表。

勘测设计费取费标准

建安工作量(万元)	勘测设计费(%)
500 以下	3.0
500~1 000	3.0~2.5
1 000~5 000	2.5~2.0
5 000~1 0000	2.0~1.5
10 000 以上	1.5

(3)施工期水土保持监测费。

按建安工作量的 0.2% 计取。

(4)工程质量监督费。

按建安工作量的 0.15% 计取。

(5)植物措施管护费。

按第一部分中造林(不含经济林、果园)、种草工程费的 1% 计取。

(七)分年度投资

各部分的分年度投资根据分年度完成的工程量、施工组织设计中施工进度时段的划分和施工需要进行编制。

(八)总概算编制

工程总投资按下列顺序编制:

1. 基本预备费。

初设概算按第一至第四部分之和的 2% 计算,投资估算按第一至第四部分之和的 5% 计算。

2. 价差预备费。

根据工程施工年限,以分年度的静态投资为计算基数,按国家规定的物价上涨指数计算。

计算公式:

$$F = \sum_{n=1}^{N} F_n \left[(1 + P)^n - 1 \right]$$

式中　　　E——价差预备费;

　　　　　N——合理建设工期;

　　　　　n——施工年度;

　　　　　F_n——在建设的第 n 年的分年度投资;

　　　　　P——年物价指数。

按国家计委计投资[1999]1340 号文规定,从 1999 年 9 月起,年物价指数按零计算,即价差预备费取零。以后有新规定时,按国家计委发布的指数计算。

3.工程静态投资。

基本费加基本预备费构成工程静态投资。

4.工程总投资。

基本费、基本预备费、价差预备费之和构成工程总投资。

六、概算表格

规定下列 11 种表格作为编报设计概算的基本表格,其他表格可根据工程实际情况增列。填表说明如下。

(一)表一　总概算表

1.第②栏项目划分的第四部分填至一级项目。

2.第四部分之后,按顺序填列下述内容:

(1)第一至第四部分合计;

(2)基本预备费;

(3)价差预备费;

(4)静态投资;

(5)总投资。

(二)表二　建筑(临时)工程概算表

1.表头"项目名称"填第一级项目。

2.第②栏填至项目划分第三级项目。

3.本表适用于编制建筑工程和临时工程的概算,不同的工程项目表格需要单列。

(三)表三　设备及安装工程概算表

1.第②栏填至项目划分的第三级项目,第三级项目可根据设计情况确定。

2.第⑦栏填写排灌设备、监测设备及其他需要安装的设备安装费。

(四)表四　独立费用概算表

根据本办法所规定的有关费率和计算方法分别计算各项独立费用。

(五)表五　分年度投资表

根据总工期及施工组织设计分别填写分年度投资情况。

(六)表六　工程单价汇总表

汇总本工程建筑安装工程所有单价表计算结果。其中③填写基本单位。

(七)表七　工程单价计算表

1.表头共四项,分别填写单价名称(定额名称)、单价编号、定额依据和定额单位。

2.第③栏根据费用名称分别填写人工、材料及机械台班费消耗等单位。

3.第④栏根据费用名称分别填写人工、材料及机械台班费定额消耗量。

4.第⑤栏根据费用名称分别填写人工、材料及机械台班费单价。

(八)表八　主要材料预算价格汇总表

(九)表九　施工机械台班费计算表

1.表头(　)内填单价值。

2.表内分数形式的分子填定额数量,分母填写合价(=定额数量×单价)。

(十)表十　主要工程量、工日数和材料量汇总表

1.本表指建筑工程部分的主要工程量、工日数和材料量汇总。

2.第②栏可分别不同情况,填列项目划分第一级和第二级项目。

(十一)主要技术经济指标简表

1.本表为总概算编制说明的组成部分,列入编制说明文字部分之后。

2.主要工程量统计范围为治沟骨干工程和淤地坝。主要材料用量统计范围为所有工程。

3.单位面积投资中不含治沟骨干工程和淤地坝投资。

4.计算治理程度时暂不计入封禁治理措施面积。计算林草覆盖率时应计入经济林面积。

5.工程规模中的工程项目内容,以及主要材料内容可根据实际情况增减。

6.治沟骨干工程主要技术经济指标简表中总库容、拦泥库容、淤地面积和拦河坝中最大坝高、坝顶长,对新建工程只填 1 个数,对旧坝加固工程其分子和分母应分别填写工程现状和加固后的数字。建设性质一栏,填写新建或加固。

表一　总概算表　　　　（单位:万元）

编号	工程或费用名称	建安工程费	设备购置费	独立费用	合计	占基本费%	资金来源		
							国家	地方	群众
①	②	③	④	⑤	⑥	⑦			
1	第一部分建筑工程								
2	⋮								
3	第二部分设备及安装工程								
4	⋮								
5	第三部分临时工程								
6	⋮								
7	第四部分独立费用								
8	⋮								
9	基本费(1+3+5+7)								
10	预备费(11+12)								
11	基本预备费								
12	价差预备费								
13	静态投资(9+11)								
14	总投资(12+13)								

表二 建筑(临时)工程概算表

项目名称＿＿＿＿＿＿＿＿＿＿

编号	工程或费用名称	单位	数量	单价(元)	合价(元)
①	②	③	④	⑤	⑥

表三 设备及安装工程概算表

编号	名称及规格	单位	数量	设备单价(元)	合价(元)	
					设备费	安装费
①	②	③	④	⑤	⑥	⑦

表四　独立费用概算表

序号	费用名称	编制依据及计算公式	金额(万元)
①	②	③	④
一	建设管理费		
	1.建设单位经常费		
	2.工程建设监理费		
	3.项目建设管理费		
	4.建设及施工场地征用费		
二	科研勘测设计费		
	1.科学研究试验费		
	2.规划统筹费		
	3.勘测设计费		
三	施工期水土保持监测费		
四	工程质量监督费		
五	植物措施管护费		
	合　计		

表五　分年度投资表　　　　（单位：万元）

编号	工程或费用名称	合计	年　份				
1	第一部分建筑工程						
2	⋮						
3	第二部分设备及安装工程						
4	⋮						
5	第三部分临时工程						
6	⋮						
7	第四部分独立费用						
8	⋮						
9	基本费(1+3+5+7)						
10	预备费(11+12)						
11	基本预备费						
12	价差预备费						
13	静态投资(9+11)						
14	总投资(12+13)						

表六　工程单价汇总表　　　　（单位:元）

单价编号	单价名称	单位	单价合计	直接费	间接费	计划利润	税金
①	②	③	④	⑤	⑥	⑦	⑧

表七　工程单价计算表

单价名称＿＿＿＿＿＿＿＿＿　　　单价编号＿＿＿＿＿＿＿＿＿

定额依据＿＿＿＿＿＿＿＿＿　　　定额单位＿＿＿＿＿＿＿＿＿

编号	名称及规格	单位	数量	单价(元)	合价(元)
①	②	③	④	⑤	⑥
一	直接费				
	(一)基本直接费				
	1.人工费				
	2.材料费				
	⋮				
	3.机械费				
	⋮				
	(二)其他直接费				
二	间接费				
三	计划利润				
四	税金				
	合　计				

表八　主要材料预算价格汇总表

编号	材料名称	规格型号	单位	购价(元)	运杂费(元)	采购及保管费(元)	预算价格(元)
①	②	③	④	⑤	⑥	⑦	⑧
1	水泥		t				
2	钢材		t				
3	木材		m^3				
4	柴油		kg				
5	汽油		kg				
6	炸药		t				
7	雷管		发				
8	导火索		m				
9	砂子		m^3				
10	碎石		m^3				
11	块石		m^3				
12	种籽		kg				
13	苗木		株				
14	化肥		kg				

表九　施工机械台班费计算表

编　号					
机械名称					
规　格					
依据　定额名称 页次　定额号					
Ⅱ类 费用	人工(　)元/工日	/	/	/	/	/
	汽油(　)元/kg	/	/	/	/	/
	柴油(　)元/kg	/	/	/	/	/
	电(　)元/(kW·h)	/	/	/	/	/
	风(　)元/m³	/	/	/	/	/
	水(　)元/m³	/	/	/	/	/
	煤(　)元/kg	/	/	/	/	/
	木柴(　)元/kg	/	/	/	/	/
	小　计	/	/	/	/	/
Ⅲ类费用(元)					
合计	台班费(元/台班)					

表十　主要工程量、工日数和材料量汇总表

编号	工程项目	工　程　量				人工	材　料　用　量								
		面积 (hm²)	土方 (m³)	石方 (m³)	混凝土 (m³)	(工日)	钢材 (t)	木材 (m³)	水泥 (t)	炸药 (t)	柴油 (t)	苗木 (株)	种籽 (kg)	化肥 (kg)
①	②	③	④	⑤	⑥	⑦	⑧	⑨	⑩	⑪	⑫	⑬	⑭	⑮

主要技术经济指标简表

项目名称					水泥	t
建设地点	省(区)		地区(盟、市)		钢材	t
			县(旗、市)		木材	m³
建设期		年至	年	主要	炸药	t
建设条件	项目区总面积		km²	材料	柴油	t
	水土流失面积		km²	用量	种籽	t
	现状治理面积		km²		苗木	万株
	治理程度		%			
	林草覆盖率		%			
工程规模	基本农田		hm²	投资	总投资	万元
	水保林		hm²		国家补助	万元
	经济林果		hm²		地方匹配	万元
	人工种草		hm²		群众自筹	万元
	封禁治理		hm²		投 工	万个
	苗 圃		hm²	效益	年拦沙	万 t
	治沟骨干工程	/	座		年蓄水	万 m³
	淤地坝		座		增产粮食	t
	谷坊		座		增加收入	万元
	水窖		眼		林草覆盖度	%
					累计治理度	%
	治理面积合计		hm²		单位面积投资	万元/km²
主 要 工程量	土方		万 m³		效益费用比	
	石方		万 m³		经济净现值	万元
	混凝土		万 m³		内部收益率	%

注:1.单位面积投资中不含治沟骨干工程和淤地坝投资;

2.治理程度中不含封禁措施;

3.林草覆盖率中含经济林;

4.治沟骨干工程一栏分子填新建工程,分母填加固工程。

治沟骨干工程主要技术经济指标简表

河　系			主要工程量	土　方	m³
建设地点	省(区)　　地区(盟、市)			石　方	m³
	县(旗、市)　乡(镇)				
建设性质				混凝土	m³
工程规模	控制面积	km²		人工	万工日
	总库容	/ 万m³	投资	总投资	万元
	拦泥库容	/ 万m³		中央补助	万元
	淤地面积	/ hm²		地方匹配	万元
	淤积年限	年		群众自筹	万元
拦河坝	型式		效益	防洪保护	hm²
	最大坝高	/ m		灌溉	hm²
	坝顶长	/ m		养鱼	万尾
	坝体方量	/ 万m³		人畜饮水	人/头
	施工方式				
	投资	万元			
输水洞	型式		经济指标	单位库容投资	元/m³
	洞身长度	m		单位拦泥投资	元/m³
	断面尺寸	宽×高	m×m	单位淤地投资	元/hm²
		直径	m	单位淤地面积拦泥	m³/hm²
放水设施	型式		主要材料用量	水泥	t
	总高度	m		钢材	t
	每台高度	m		木材	m³
	断面尺寸	宽×高	m×m	炸药	t
		直径	m	柴油	t
溢洪道	型式		计划施工时间	开工日期	
	总长度	m		竣工日期	
	断面高×宽	m×m		总工期	

注:表中斜线是针对旧坝加固工程而言的,分子填写工程现状,分母填写加固后的数字;建设性质一栏填写新建或加固。

（编写人员:鲁小新、杨希刚、张彦军、杨顺利、寇俊峰、朱小勇、李　梅、武　哲、梁其春、于小科、段菊卿、常福双、史令芳、寇培进、蒋得江、卢　涛）

综合规划

黄河流域黄土高原地区水土保持建设规划*

第一章 水土流失概况及危害

第一节 水土流失概况

黄河流域黄土高原地区包括黄河上中游的黄土高原和鄂尔多斯高原,西起日月山,东至太行山,南靠秦岭,北抵阴山,总面积64万 km^2,包括青海、甘肃、宁夏、内蒙古、陕西、山西、河南7省(区)的46个地(盟、州、市),306个县(旗、市、区),总人口9 029.8万,农业人口6 664.1万。根据国务院1990年公布的遥感调查资料,全区水土流失面积达45.4万 km^2,占土地总面积的70.9%,其中水力侵蚀面积33.7万 km^2,风力侵蚀面积11.7万 km^2。黄土高原地区是我国乃至全世界水土流失最严重的地区。据分析,侵蚀模数大于5 000t/ $(km^2 \cdot a)$ 的强度以上水蚀面积为14.65万 km^2,占全国同类面积的38.8%;侵蚀模数大于8 000t/ $(km^2 \cdot a)$ 的极强度以上水蚀面积为8.54万 km^2,占全国同类面积的64.4%;侵蚀模数大于15 000t/ $(km^2 \cdot a)$ 的剧烈水蚀面积为3.67万 km^2,占全国同类面积的89%。

第二节 水土流失危害

水土流失是土地荒漠化形成的重要过程,是造成黄河流域黄

---

* 本规划于1997年11月编制。

土高原地区生态环境恶化、经济发展滞后、农民群众生活贫困的根源,也是造成黄河下游河道严重淤积、防洪形势严峻、黄河难以治理的根源。

一、加剧贫困程度

年复一年的水土流失,使地形破碎,土层变薄,地表"沙化",地力下降。据测定,黄土丘陵沟壑区坡耕地每年每 0.067 公顷流失水量 $20\sim30m^3$,流失土壤 $8\sim10t$,黄土高原地区随水土流失每年损失的氮、磷、钾总量约 4 000万 t,相当于全国一年的化肥总产量。致使土地日渐瘠薄,田间持水力下降,土地生产力低下,粮食产量低而不稳,坡耕地粮食产量一般只有 $25\sim50kg$,若遇天旱,甚至绝收。水土流失造成的恶劣生态环境严重地制约了农业和农村经济的发展,加剧了当地群众的贫困程度。全区 306 个县中,国定贫困县 126 个,占全国 592 个贫困县的 21.3%,农村贫困人口达 2 300万,占全国贫困总人口的 1/3。

二、严重制约可持续发展

·黄土高原地区多年平均每年输入黄河泥沙 16 亿 t,相当于全区 1 867万 hm^2 耕地年均流失耕层 0.6cm,严重流失区高达 1cm,比土壤形成过程快 $200\sim400$ 倍。随着人口的增加,土地后备资源相对不足的矛盾会更加突出。形成"越穷越垦,越垦越流失,越流失越穷"的恶性循环,加大了经济和社会发展的压力,不仅制约农业经济的持续发展,导致水土流失与贫困的同步加剧,而且社会发展的余地越来越小,直接危及子孙后代应有的生存空间。

三、加剧自然灾害的发生

林草植被的大量破坏,水源涵养能力减弱,土壤"沙化"、"石化",造成小气候恶化,雨量减少,加剧了干旱的发展和其他灾害的发生。据甘肃省 18 个县连续 44 年的资料分析,正常年份 8 年,占 18.2%;旱年或大旱年 17 年,占 38.6%;其他灾害年份占 43.2%。

水土流失使大量泥沙下泄,造成河道、湖泊、水库严重淤积,削弱了泄、滞洪能力,加剧了中下游的洪涝灾害。举世瞩目的黄河下游洪水危害,主要是由于泥沙淤积河床,成为地上悬河,洪水居高临下,致使堤防"越加越险,越险越加"。正如李鹏总理指出的:"成为中华民族的心腹之患。"新中国成立以来,曾三次全面复加下游堤防,仍然不能从根本上解决"越淤越险,越险越淤"的状况。1996年黄河郑州花园口洪峰流量仅 7 600 m^3/s,其水位比 1958 年 22 300m^3/s 流量的水位还高 0.91m,淹没滩地 22.9 万 hm^2,使 107 万人受灾,造成全线告急。水土流失不治,黄河难以安宁。

加快水土流失治理进程,已经成为全国人民面临的一项紧迫的战略任务,成为中华民族谋求生存发展的根本大计,是保护中华民族生存空间的一场伟大斗争。正如江泽民总书记在中共十五届一中全会上指出的那样:"我国生态环境恶化的趋势还没有控制住,这个问题不解决,不仅难以实现农业的持续稳定增长,还会危害子孙后代……大江大河中上游地区的水土保持和流域综合治理,是改善农业生产条件和生态环境的根本措施,必须高度重视,做好规划,坚持不懈,长期奋斗。"

第二章   水土流失治理现状

第一节   治理现状与经验

新中国成立以来,黄土高原地区的水土保持由试验示范逐步走向全面开展;由单项措施、分散治理发展到以小流域为单元,不同类型区分类指导的综合治理;由单纯防护性治理发展到治理开发相结合,生态效益、经济效益、社会效益协调发展,取得了显著成绩。经过 40 多年的治理,共兴建基本农田 500 万 hm^2,造林 712.6 万 hm^2,种草 233.8 万 hm^2,各种经济果木 74.2 万 hm^2,建设治沟骨干工程 903 座,各种小型拦蓄工程 400 多万处。各项水土保持措施面积累计达 15 万 km^2。基本农田累计增产粮食 500 多亿 kg,各种拦蓄工程累计蓄水 812 亿 m^3。为 1 000 万农民解决了温饱和农村生活用水问题;大规模植被建设,除提供丰富的林产品,满足经济建设等方面的需要外,还缓解了部分地区群众"三料"的困难;经济林果成为山区农村的支柱产业,在获得显著直接经济效益的同时,带动了加工、运输、营销等行业的发展。20 世纪 70 年代以来,水利水土保持措施平均每年减少入黄泥沙 3 亿 t 左右,为黄河几十年安澜作出了贡献。

《中华人民共和国水土保持法》的颁布实施,标志着水土流失防治步入了法制化轨道,水土保持法规体系和监督执法体系逐步建立健全,执法力度加大,水土保持意识和法制观念日益深入人心。黄土高原 7 省(区)全部制定了《水土保持法实施办法》及其他配套地方性法规;建立水土保持监督执法机构 240 多个,配置专兼职监督执法人员 7 000 多人;共依法审批水土保持方案 6 000 多个;查处水保违法案件 1 800 余起;收缴水土流失防治费和补偿费 1 000 多万元;巩固了水土保持治理成果,减少了人为造成的新的水土流失。

水土保持科学研究是水土资源综合治理开发的重要支撑条件。40 多年来,坚持面向黄土高原,服务于治理开发的方针,在水土流失规律、小流域综合治理、治沟骨干工程建设和植被建设技术等应用基础和实用技术方面取得了显著成绩,形成了具有流域特色的水土保持科学技术体系。目前水保科研单位发展到 37 个,科技人员 1 200 余人,已取得了一大批具有较高学术水平和实用价值的成果。

黄土高原地区水土保持的成功实践,累积了丰富经验,概括起来主要有如下四个方面。

一、由单一措施、分散治理,转向以小流域为单元,全面规划,综合治理,集中连片治理。实现山、水、田、林、路统一规划,工程、生物、农业耕作措施相结合,沟坡兼治,"三大效益"并举,充分发挥水土保持防治开发体系的整体功能与综合效益

以小流域为单元进行综合治理开发,可以根据自然和社会经济特点,因地制宜,因害设防,科学配置各项措施,合理利用土地,建立小生态单元,实现生态与经济的同步发展,收到事半功倍的效果。目前黄土高原地区开展治理的小流域已达3 000条,都不同程度地取得了较好效果。例如,延安市宝塔区坚持统一规划,实行"五个结合",狠抓小流域综合治理,目前综合治理程度达61.6%,林草覆盖率达50%,农民人均粮食600多kg,人均收入达1 300多元。素名"苦瘠甲天下"的甘肃定西县,通过长期坚持大干苦干,走出了一条干旱贫困山区通过水土保持综合治理发展农业和农村经济、脱贫致富奔小康的路子。

二、由单纯防护性治理转向治理与开发相结合,突出经济效益,调动社会投入治理的积极性;把水土保持引向市场,把资源优势转化为商品优势,群众从更多的实惠中提高了防治水土流失的积极性,制定切实、优惠政策吸引群众进行治理

随着水土保持的不断发展和改革的不断深化,黄土高原地区水土保持按照水土流失规律和社会主义市场经济规律的要求,突出了经济效益,把治理与开发融为一体,把治理水土流失与群众脱贫致富融为一体,大力发展小流域经济,增加农民收入,激发了群众治理水土流失的积极性。出现了像甘肃省官兴岔、茜家沟等一批综合开发、建立支柱产业、发展两高一优农业、率先致富奔小康的典型小流域。坚持"谁治理、谁受益","谁投入、谁受益"的原则,大力推行户包治理责任制和"四荒"地使用权拍卖,"允许继承转让、长期不变"、"免缴有关税收"、优先技术服务和物资供应等优惠政策,推动了户包为主的多种治理责任制和"四荒"拍卖的深入发

展,进一步调动了广大群众和社会方方面面投入水土保持治理开发的热情。80年代出现的户包治理小流域,高潮时期黄土高原地区共有350多万户承包治理小流域,占这一地区总农户的38%,约有666.7万 hm² 的土地被承包,大部都得到有效治理。截至1996年底,黄土高原共拍卖"四荒"地166.7万 hm²,收回拍卖资金上亿元,已有30%～40%的面积得到治理开发。目前参与承包、租赁、股份合作制、购买"四荒"的农户稳定在137万户左右。

三、重点工程建设实行项目管理,提高投资效益

黄土高原水土保持是一项跨省(区)、多部门协作的庞大系统工程,也是一项长期的群众性生态建设工程。对国家确定的重点治理项目实行严格的管理,才能保证国家投资使用方向,提高治理工程质量和效益。目前已开展的治沟骨干工程、试点小流域、四大重点治理区以及世界银行贷款等由于实行了项目管理,均取得了显著的效益。已建成的近千座治沟骨干工程发挥了巨大的拦泥、蓄水、增产效益;试点小流域为综合治理找到了有效的方法和模式,提供了丰富的经验;四大重点治理区规模大,经济效益好,促进了区域经济的发展,小流域减沙效益均大于50%;世界银行贷款项目为吸收和利用外资、外援进行黄土高原水土保持综合治理提供了管理经验。

四、发挥政府职能,提高统筹协调能力

黄土高原长期的水土保持实践和效益,大批治山治水、脱贫致富的典型,使广大干部群众逐步认识到水土保持是农业和社会发展的基础和前提,是黄河治理、治穷致富、可持续发展的根本之策。各级领导提高了对水土保持工作重要性、紧迫性的认识,建立了任期内的目标责任制、水土保持工作报告制度和年终考评制度,一级带着一级干,一级干给一级看,一届接着一届干。各级政府将水土保持纳入地方国民经济和社会发展计划,不断增加投资,完善政策,按照"各负其责,各尽其力,各投其资,各记其功"的原则,形成

了"水保搭台,政府导演,各部门同唱水保一台戏"的局面。

第二节　存在的主要问题

目前黄土高原地区水土保持建设存在的主要问题有以下几个方面。

一、投入严重不足,治理进度缓慢

黄土高原地区自然条件恶劣,治理难度大,当地群众生活困难,开展水土保持综合治理经济能力十分有限,需要国家大力扶持才能加快治理步伐。近年来,尽管国家对水土保持投入有所增加,但是对黄土高原地区安排的投资很有限,每年只能完成低标准治理面积6 000km^2,距国家要求的"九五"期间每年完成1.25万 km^{2}相距较大。

二、投入标准低,影响工程质量和效益的发挥

黄土高原地区水土流失的综合治理,在当地群众和政府自筹经费为主的基础上,治理1km^{2}需国家投资15万元左右,而实际投资目前仅有1.5万～2.0万元。投入标准低,影响了现有水土保持措施的质量和工程配套。不仅直接导致水土保持林草成活率、保存率低,而且大规模的水平梯田由于水分的亏缺,增产效益也难以发挥。通过治理不同类型区的侵蚀强度虽有所减轻,但轻度以上的水土流失面积仍有41.3万 km^2,急需加强治理。

三、"边治理、边破坏"现象仍然存在

一些部门、单位和个人,只顾眼前利益,在经济开发过程中,人为水土流失现象还不时发生,水保设施常遭破坏,有的地方甚至出现"破坏大于治理"的情况。

四、宏观管理力度不够,政策法规的贯彻及管理措施难以落实

流域机构职责不清,监督执法无权,开展工作困难。有的地方机构尚不完善,管理工作滞后,影响了工作的正常进行。

五、科研和技术推广工作滞后

许多科研单位基础设施差,设备陈旧,测试手段落后,研究经费少,不少重大研究和技术推广项目很难开展。由于尚未建立起完善的科研推广服务体系,已有科研成果有相当部分未能转化为生产力。

第三章　指导思想与总体布局

第一节　指导思想与原则

本次规划的指导思想是:

贯彻江泽民总书记和李鹏总理的批示精神,遵循中共十五大确定的跨世纪经济建设的战略目标,战略步骤,战略重点,充分发挥水土保持对促进经济和社会可持续发展的基础作用,改善农业生产和生态环境条件,促进黄土高原水土流失地区群众脱贫致富,减少入黄泥沙,治理黄河水患。紧紧围绕黄土高原地区生态环境和水土保持建设面临的突出矛盾和问题,根据自然和社会经济条件,提出分区治理方向、总体部署及重点建设项目。按照社会主义市场经济的要求,逐步建立起高效的水土保持建设管理体制和多元化的投入机制,调动社会各部门及农民群众的积极性,加大水土保持建设投入力度,争取黄土高原地区水土流失治理,15年初见成效,30年大见成效,经过半个世纪的努力,彻底改变历史遗留下来的恶劣生态环境,再造一个山川秀美的黄土高原,推动西北地区社会、经济、环境持续稳定地发展。

规划应遵循以下原则:

(1)全面贯彻"预防为主,全面规划,综合防治,因地制宜,加强管理,注重效益"的方针,切实搞好预防保护和监督执法工作,实行

"谁治理、谁管护、谁受益"的政策。在宏观规划的指导下,统筹安排,分步实施,优先抓好对区域经济发展和黄河治理影响大的重点区域和重点项目。按照不同地区的自然和社会经济条件,以小流域为单元,进行综合治理、集中连片治理、连续治理,提高治理实效。

(2)坚持近期效益和远期效益相结合,经济效益、社会效益与生态效益协调发展的原则,以重点治理区为依托,以经济效益为中心,规模化治理,区域性开发,产业化发展。注重科学治理,提高整体效益。调整土地利用结构,促进农、林、牧业的全面发展。加快山区农民脱贫致富步伐。

(3)改革投资体制,建立多元化投入机制,在坚持群众自力更生的基础上,增加国家扶持,多层次、多渠道筹集资金。把多沙粗沙来源区为拦沙减淤而修建的工程体系,纳入治黄基本建设计划统筹安排之中。

(4)适应市场经济,加快实现"两个根本转变",深化以土地产权制度为中心的改革,积极探索和运用新的治理形式。把治、管、用和责、权、利紧密结合起来,充分调动群众积极性。建立"水保为社会,社会办水保"的新机制,加速产业化的发展,促进水保进入市场。

第二节　总体布局与关键措施配置

黄土高原地区水土流失的防治,按一级区划的三大类型和二级区划的九个类型,因地制宜进行布局。各个类型区在土地利用方向和水土流失的防治措施上,都有不同的要求。

一、严重流失区

总土地面积 25 万 km^2,包括黄土丘陵沟壑区和黄土高塬沟壑区两个二级区,每年入黄泥沙占黄河总输沙量的 90% 左右,是治理的重点地区。土地利用方向是农、林、牧并举,人均达到 0.13～0.2 hm^2 基本农田,0.03～0.07 hm^2 果园和经济林,其余土地因地制宜造林种草。

(一)黄土高塬沟壑区

该区水土流失特点是:塬面广阔平坦,流失轻微,但沟头前进吞蚀塬面农田,威胁城镇交通,破坏相当严重;沟壑内崩塌、滑塌、陷穴、泻溜等重力侵蚀严重。

根据黄土高塬沟壑区地形、地貌、水土流失特征等地域分异规律,小流域可分为塬面、塬嘴坡、沟谷三个侵蚀亚区。塬面地形广阔平坦,面积占全区总面积的 35%~40%,坡度一般在 3°以下,是主要的农业种植区。主要为水力侵蚀,以片蚀、细沟侵蚀为主。塬嘴坡是指塬面周围被沟谷切割的缓坡地带,地形破碎,面积一般占流域总面积的 20%~30%,坡度在 10°~20°,多为农、林、草地,主要为水力侵蚀,上部多片蚀、细沟侵蚀,下部及邻近沟边地带常有陷穴、漏斗等潜蚀。沟谷包括沟坡和沟底,沟坡一般为 40°~60°,大多为牧荒地,水力侵蚀和重力侵蚀都非常活跃,以崩塌、滑塌、泻溜等为主。

该类型区水土保持主要措施及配置应突出"保塬固沟,以沟养塬"的原则,综合治理由三道防护体系构成,即塬面防护体系——在塬面形成以道路为骨架,以条田埝地为核心的田、路、堤、林网、拦蓄工程相配套的塬面综合防护体系;沟坡防护体系——在缓坡修梯田,陡坡地整地造林种草,形成以营林营草为主,工程措施与林草措施相结合的坡面防护体系;沟道防护体系——从上游到下游,由支毛沟到干沟,以坝库工程为主,兼造沟道防护林,以抬高侵蚀基点,形成以坝库工程与林草措施相结合的沟道防护体系。

(二)黄土丘陵沟壑区

该区坡陡沟深,面蚀、沟蚀都很严重,面蚀主要发生在坡耕地,其次是荒坡,沟蚀主要发生于坡面切沟和幼年冲沟。

该类型区小流域侵蚀亚区分为梁峁坡、沟谷坡、沟谷底。梁峁坡面积一般占流域面积的 40%~70%。峁顶部坡度 3°~5°,梁峁坡面为 8°～30°,多数为 20°以下,以水力侵蚀为主,梁峁坡上部主要为溅蚀、细沟侵蚀和冲沟侵蚀;下部常形成陷穴和漏斗等潜蚀。沟谷坡即现代沟谷的谷坡和古代残存的缓坡阶地,面积一般占流域面积的 30%～60%,水力侵蚀和重力侵蚀都很活跃。沟谷扩展,沟头前进,陡坡滑塌、崩塌、泻溜等重力侵蚀突出。沟谷底面积一般占流域总面积的 5%～10%,水力侵蚀和重力侵蚀都很活跃,以侧蚀、下切、溯源侵蚀为主。

根据本类型区流域侵蚀特性,综合治理出五道防护体系构成:即梁峁顶防护体系——主要是防风固土,保护梁峁顶及其附近地域;梁峁坡防护体系——主要是拦蓄降水,保持水土,把梁峁坡变为农业和果品生产基地;峁缘线防护体系——主要是拦截梁峁坡防护体系的剩余径流,分割水势,防止溯源侵蚀;沟坡防护体系——主要是工程造林种草遏制产流,进一步拦截上段防护体系的剩余径流,固土护坡;沟底防护体系——主要是拦截坡面防护体系没有拦截住的产流产沙,使水土"流而不失",变荒沟为坝地。

本类型区分为 5 个副区,各副区可根据因地制宜的原则,在具体布局中有所侧重。

二、局部流失区

总土地面积 31.7 万 km²,包括林区、土石山区、高地草原区、干旱草原区和风沙区五个二级区,大部分地区有林草覆盖,水土流失轻微;但林草遭到破坏的局部地面,水土流失也很严重。本区土地利用以林牧为主,保护现有林草植被,防止破坏,避免产生新的水土流失;对局部林草遭到破坏的地面,积极采取综合治理措施。保护森林和草原,采取轮封、轮采、轮牧等方式,对采伐后的林地及时进行更新;草原区实行"草畜双包"责任制,做到草畜平衡,防止草场退化。

(一)林区及土石山区的有林部分

该区梁状丘陵次生林覆盖程度较高,水土流失轻微,在坡耕地存在面蚀。该区水土流失防治的关键是严格执行《中华人民共和国水土保持法》、《中华人民共和国森林法》、《中华人民共和国环境保护法》等有关法规,采取有效的预防监督措施,依法保护山林。建立健全护林组织,制定乡规民约,有条件的设立林区警察,坚决制止滥采乱伐。林区的开发利用,以不破坏森林资源为原则,采取轮封轮采等措施,搞好封山育林;采用封育、抚育、新造相结合的方法,积极改造次生林;对采伐后的林地,及时进行迹地更新;对现有农耕地,通过加强基本农田建设,实现"少种、高产、多收",防止群众扩大耕地,破坏林草植被。

(二)土石山区

该类型区小流域侵蚀亚区分为石质山岭、土石山坡、黄土崄坡、洪积沟谷。石质山岭即基岩露头的山峁地带,面积一般占流域面积的 15%～20%,植被覆盖差,地面组成物质大部为直径<2mm 的黄土和沙粒,侵蚀沟的发育多为细沟侵蚀。土石山坡即石质山岭的边缘地带,地面物质主要为碎块碎屑岩石和坡积黄土,面积一般占流域总面积的 40%～50%,水力侵蚀为主,主要是细沟侵蚀。黄土崄坡,即土石山区下部黄土坡积区,地面组成物质主要为沙黄土,面积一般占流域面积的 34%～40%,水力侵蚀和重力侵蚀活跃,以浅沟、切沟侵蚀为主。洪积沟谷面积一般占流域面积的 5%～10%,主要为冲积物的沉积地带,无明显流失现象。

该区水土流失治理的起步措施是修建基本农田,关键性的措施是恢复林草植被,主要治理措施布局如下:在缓坡耕地修筑石坎(土坎)水平梯田;在支毛沟修石谷坊或闸沟垫地,在小块地种庄稼或造林;干沟中有条件的在沟滩造田,力争高产,解决粮食问题,促进陡坡退耕;在荒山荒坡和退耕地上大力造林种草,或封山封坡,育林育草;在恢复、保护林草植被前提下,大力发展林特土产、畜牧业等多种经营。

(三)高地草原区

该区地貌为高山丘陵,间有滩地。气温低凉,人口稀少,牧草广布,林草覆盖度 40%～80%。水土流失轻微,主要在坡耕地产生面蚀。

该区主要是落实《草畜双包》责任制,合理调整载畜量,做到草畜平衡,防止因过度放牧引起草场退化;对已退化的草场,实行草原划管,采取轮封轮牧、补种牧草等措施,及时改良草场,尽快提高产草量和载畜能力;积极建设人工饲料基地,减轻发展牲畜对天然草场的压力;认真贯彻执行《中华人民共和国草原法》、《中华人民共和国水土保持法》等有关法规,依法保护草原。

(四)干旱草原区

该区丘陵低缓,河谷宽平,间有滩地,干旱少雨。水土流失以风蚀为主。该区水土保持以认真贯彻《中华人民共和国草原法》以及《中华人民共和国水土保持法》等有关法规,依法保护草原,落实《草畜双包》责任制,合理调整载畜量,做到草畜平衡,防止因过度放牧、采药引起草场退化为主;对已退化草场,实行草原划管,采取轮封轮牧、补种牧草等措施,及时进行牧草改良,尽快提高产草量和载畜能力;营造防风固沙林、草原防护林和灌木放牧林、饲料林;积极建设人工饲料基地,减轻发展牲畜对天然草场的压力。

(五)风沙区

该类型区小流域侵蚀亚区可分为沙丘、滩地(沙窝地)。沙丘主要由固定、半固定及流动沙丘组成。风蚀为主,在风力作用下,形成垄状、格状、堆状、新月型链等多种形状的沙丘。固定沙丘坡面切沟密布;流动沙丘多向东南移动,吞蚀土地,淤塞河道,成为泥沙的重要来源。滩地(沙窝地)即沙丘之间的低洼地,面积一般占流域面积的 10%～20%,水蚀、风蚀兼有。

固定流动沙丘的起步措施是设沙障,在风口及迎着沙丘移动方向营造防风固沙林带,防止沙漠南侵;在耕地四周营造农田防护林,以削减风速,保护农业丰收。风沙区治理的关键性措施是在已固定(或半固定)沙丘上大面积造林种草,发展林牧副业。在有条件的地方,大搞引水拉沙造田,发展沙产业,既能制止沙丘前进,又能增加粮食生产。对沙丘间的碱滩地通过挖排水沟降低地下水位,种草或压客土予以改良,通过修"马槽井"自流灌溉等措施,发展小片水地,促进粮食生产。

三、轻微流失区

总土地面积7.3万 km^2,包括黄土阶地区及冲积平原区两个二级区,人口密度大,农业及生产条件较好。土地利用以农为主,应结合水利建设和农业综合开发,进行山、水、田、林、路综合治理,建设成为粮、棉、油生产基地;积极发展农区果业与速生丰产用材林。

(一)黄土阶地区

该区水土流失面蚀轻微。土地利用宜以农业为主,结合水土保持,平整土地,造林种草,发展为农业及城镇生活服务的畜牧业与林果业。对局部存在的沟道侵蚀,可采取沟头、沟边修防护围埝,沟坡造林种草,沟底修谷坊坝埝等措施进行治理。有条件的修小水库,解决农村生活用水,发展水利。

(二)冲积平原区

该区水土流失轻微。地势平坦,土质肥沃,雨量丰沛,气候温和,且有水利之便,历来就是粮棉主要生产基地。主要措施是营造农田防护林,"四旁"绿化,形成田、林、路、渠配套,工程措施与生物措施相结合的防治体系,并加强预防保护和监督,防止人为活动造成新的水土流失。该区土地利用以农业为主,结合水土保持,平整土地,造林种草,发展林果业、畜牧业等多种经营。

第四章　防治安排

总体目标:利用50多年的时间,动员和组织全区人民,加强水土保持预防监督,加快综合治理步伐,到 21 世纪中叶,实现江泽民总书记和李鹏总理提出的战略目标。鉴于黄河流域黄土高原水土保持的长期性、复杂性和艰巨性,水土保持建设规划分为近期(1998～2010 年)、中期(2011～2030 年)和远期(2031～2050 年)三个时段,分步实施,逐步达到规划的总体目标。

近期:用 13 年时间,水土流失治理初见成效。粮食实现自给,群众生活稳定脱贫;人为水土流失基本得到控制,生态环境恶化的趋势得到基本遏制,水土流失面积不再扩大;新增的水土保持措施每年减少入黄泥沙 2 亿 t 左右;新增水土保持措施面积占水土流失面积的 43.7%;基本建立健全水土保持预防监督管理机构,水土保持法规体系进一步完善。

中期:用 20 年的时间,在对近期治理成果巩固的基础上,继续保持较高的治理速度,到 2030 年,水土流失治理大见成效。实现粮食自给有余,群众生活步入富裕,达到或接近全国平均水平;人为水土流失得到控制,已造成的人为水土流失基本得到恢复治理,生态环境有明显改观,开始转向良性循环;各种水土保持拦蓄工程可基本解决水土流失区的农村生活用水困难;累计新增水土保持措施平均每年减少入黄泥沙 4 亿 t 左右;全面建立起健全的水土保持监督执法体系和法规体系。

远期:到下个世纪中叶,整个黄土高原地区可治理的水土流失面积基本初步治理一遍;已造成的人为水土流失全部得到恢复治理;减少入黄泥沙 50% 左右,并通过干流工程建设、下游河道整治,有效地缓解黄河下游严峻的防洪形势;区域恶劣的生态环境大为改观,建立起基本适应国民经济可持续发展的良性生态系统,黄土高原大部分地区实现环境优美、生产发展、群众富裕的宏伟目标。

第一节　预防监督

一、预防监督分区

根据水利部关于划分水土保持防护区、监督区的规定,规划将黄土高原轻微水蚀区、植被度在 40％以上的风沙区和治理程度达 70％以上的流域列为防护区,总面积 13.83 万 km^2;将资源开发、建设项目及工矿集中,对地表、植被破坏面积大、造成人为水土流失严重的地区列为监督区,总面积 16.80 万 km^2,各省(区)防护区、监督区面积见表 1。

表 1　　　　黄土高原各省(区)防护区、监督区面积 (单位:万 km^2)

省(区)	青海	甘肃	宁夏	内蒙古	陕西	山西	河南	合计
防护区	2.33	3.38	1.00	2.60	1.60	2.16	0.76	13.83
监督区	1.10	3.76	0.62	2.39	5.11	2.18	1.64	16.80

预防监督实行分级管理。将跨县的 0.67 万 hm^2 以上的天然林区和草原、治理程度大于 70％的 500km^2 以上的综合治理区列为省级重点防护区,跨县的 1 000km^2 以上的开发建设项目集中的区域列为省级重点监督区;跨省(区)6.67 万 hm^2 以上的天然林区和草原列为国家级重点防护区,跨省(区)10 000km^2 以上的开发建设项目集中的区域列为国家级重点监督区。本规划确定的国家级重点防护区与国家级重点监督区如下:

国家级重点防护区,包括子午岭林区和六盘山林区,总面积 2.34 万 km^2。子午岭林区位于北洛河与马莲河中上游,涉及甘肃、陕西两省的 4 个地(市)15 个县 73 个乡(镇),总面积 1.59 万 km^2;六盘山林区位于泾河与渭河的分水岭地带,涉及宁夏、甘肃、陕西 3 省(区)的 4 个地(市)11 个县 72 个乡(镇),林区面积 0.75

万 km²。两林区森林资源破坏严重,近 50 年来,共损失林地面积 52 万 hm²,林线退缩了 8～40km,因此必须加以重点保护,以免再遭破坏。

国家级重点监督区,包括晋陕蒙接壤地区和豫陕晋接壤地区,总面积 8.66 万 km²。晋陕蒙接壤地区既是黄土高原水土流失最严重的多沙粗沙区,又是我国近期开发建设的以煤炭开采为主的特大型能源重化工基地,涉及 3 省(区)5 个地(盟)13 个县(旗、市),总面积 5.44 万 km²。近年来兴建国家与地方煤矿(窑)1 000 多个,加之交通、电力、冶金、化工等基本建设,大面积破坏地表、植被,加剧了本已十分脆弱的生态环境的恶化,造成了十分严重的人为水土流失,每年增加入黄泥沙达5 000 万 t。豫陕晋接壤地区,以盛产黄金而闻名全国,涉及 3 省 6 个地(市)18 个县(市),总面积 3.22 万 km²,区内以金、铜、铝等有色金属开采为主的各种矿点达 3 900 多处,严重破坏地貌植被,加剧了人为水土流失及水质污染,随意弃土弃渣不仅阻碍河道正常行洪,而且诱发泥石流,危及下游人民生命财产安全。因此,必须依法加强这两个地区的水土保持监督管理。

二、预防监督的任务

预防保护的主要任务是,对有潜在侵蚀危险的地区,积极开展封山封沙、育林育草,防止火灾及病虫危害,坚决制止毁林毁草、滥采乱伐、过度放牧和陡坡开荒等,依法保护森林、草原、水土资源,防止产生新的水土流失;对已有的水土保持治理成果,搞好管理、维护,巩固提高,使之充分发挥效益。

监督管理的主要任务是,对生产、矿产资源开采、修路、建厂、水工程等开发建设项目,进行普查登记,对开发建设项目水土保持方案的编报及实施进度、质量、完成情况进行审批与监督、检查、验收,使其严格执行《中华人民共和国水土保持法》规定的水土保持方案与主体工程同时设计、同时施工、同时投产使用的"三同时"制度,尽可能减少对地表、植被的破坏,把人为水土流失减少到最低程度。并对已破坏的地表、植被和已造成的水土流失进行恢复治理。对违反《中华人民共和国水土保持法》的案件,依法及时进行立案、调查勘验取证及处理。

三、预防监督实施措施

(一)建立健全监督执法体系

流域机构及黄土高原各省(区)、地(市、盟)、县(旗、市)均成立相应的水土保持监督机构,并在重点防护区及重点监督区设立乡(镇)监督检查所、村级监督管护组,形成完整的监督执法管护网络体系。

(二)制定配套法规、制度

在各省(区)已制定《水土保持法实施办法》、《水土保持"两费"征收使用管理办法》的基础上,进一步制定、完善水土保持方案报告制度、现场监督检查制度、水土保持工作报告制度、年检年审制度、水土保持预防监督责任制等配套法规,为预防监督工作提供政策、法律依据。

(三)建立高起点的水土保持监测与信息网络

对预防保护区植被消长情况、监督区地表植被破坏、弃土弃渣及人为水土流失情况、治理区项目进展情况等,实施有效的动态监测,为预防监督工作提供可靠的依据。

第二节　综合治理

黄土高原地区水土保持综合治理的主要措施:一是兴建基本农田,包括兴修梯田、条田、打坝淤地、引洪漫地、引水拦沙造田等,其中以梯田建设为主,将跑水、跑土、跑肥的低产坡耕地改造成为保水、保土、保肥的高产基本农田。二是水土保持植被建设,包括水土保持林、人工种草、经济林、防护林等。由于黄土高原地区气候干旱,在降雨量400mm以下的地区,以营造灌木林为主,为提高群众的收益,经济林也占有一定比例。沙棘是黄土高原的主要适生灌木树种,在砒砂岩地区、风沙区和人少地多地区大力营造具有良好的水土保持效益和经济效益。三是加强沟道治理,因地制宜地大力修建治沟骨干工程、淤地坝及塘坝、水窖、涝池、谷坊、旱井、沟头防护等各种水利水保拦蓄工程,蓄水拦泥淤地,大力推广径流农业和节水灌溉技术,提高水土保持措施的防护能力和水土资源开发利用水平。

黄土高原水土保持工程建设,采取以流域为单元,以县域为单位,分期实施、集中连片、综合配套,进行治理。近、中、远期治理进度安排如下。

一、近期(1998~2010年)进度安排

每年完成治理措施面积1.21万km^2,年进度2.66%。"九五"后三年(1998~2000年),完成治理措施面积3.63万km^2,其中,基本农田108.87万hm^2,水保林143.27万hm^2,沙棘林20.00万hm^2,经济林54.40万hm^2,人工种草36.46万hm^2。到2010年,完成治理措施面积15.73万km^2,占水土流失面积的43.7%,其中,基本农田471.82万hm^2,水保林621.16万hm^2,沙棘林86.70万hm^2,经济林235.87万hm^2,人工种草157.45万hm^2(见表2)。

二、中期(2011~2030年)进度安排

除对已有的治理成果搞好管护外,每年仍完成治理措施面积1.21万km^2,20年新增治理措施面积24.20万km^2,其中,基本农田732.00万hm^2,水保林1 016.30万hm^2,沙棘林66.70万hm^2,经济林363.00万hm^2,人工种草242.00万hm^2。到2030年,累计新增水土保持措施面积39.93万km^2,其中,基本农田1 203.82万hm^2,水保林1 637.46万hm^2,沙棘林153.40万hm^2,经济林598.87万hm^2,人工种草399.45万hm^2(见表3)。

表 2   黄土高原地区近期水土保持措施规划

年份 (年)	省(区)	治理面积 (万 km²)	基本农田 (万 hm²)	经济林 (万 hm²)	水保林 (万 hm²)	沙棘林 (万 hm²)	种草 (万 hm²)
1998 ~ 2000	青海	0.16	4.80	2.40	5.20	2.00	1.60
	甘肃)	0.76	22.80	11.40	30.20	4.00	7.60
	宁夏	0.28	6.00	4.20	13.80	1.00	3.00
	内蒙古	0.78	6.27	11.67	41.73	6.00	12.33
	陕西	0.78	37.80	11.60	21.47	4.00	3.13
	山西	0.69	25.80	10.40	22.80	3.00	7.00
	河南	0.18	5.40	2.73	8.07		1.80
	小计	3.63	108.87	54.40	143.27	20.00	36.46
2001 ~ 2010	青海	0.63	15.87	7.93	27.17	6.70	5.33
	甘肃	2.53	75.93	38.00	100.44	13.30	25.33
	宁夏	0.95	20.47	14.27	47.43	3.30	9.53
	内蒙古	2.60	20.87	39.00	138.93	20.00	41.20
	陕西	2.58	126.07	38.60	69.40	13.40	10.53
	山西	2.21	85.67	34.60	67.66	10.00	23.07
	河南	0.60	18.07	9.07	26.86		6.00
	小计	12.1	362.95	181.47	477.89	66.70	120.99
合 计		15.73	471.82	235.87	621.16	86.70	157.45

表 3   黄土高原地区中期水土保持措施规划

措 施	治理面积 (万 km²)	基本农田 (万 hm²)	经济林 (万 hm²)	水保林 (万 hm²)	沙棘林 (万 hm²)	种 草 (万 hm²)
2011~2030 年	24.20	732.00	363.00	1 016.30	66.70	242.00
到 2030 年累计完成	39.93	1 203.82	598.87	1 637.46	153.40	399.45

三、远期(2031~2050年)进度安排

在完成剩余水土流失面积的同时,重点对已有的治理成果进行巩固、完善、配套、提高。

第三节　重点建设项目

一、多沙粗沙区治理

黄土高原多沙粗沙区总面积21.22万 km², 年侵蚀模数大于5 000t/km²的面积19.1万 km², 主要分布在河口镇至龙门区间和泾、洛、渭河上游,其他地区有零散分布。区内大于1 000km²的支流有37条。涉及黄土高原7省(区)的126个县(旗、市),大部属老、少、边、贫地区,经济基础薄弱,是黄土高原最为贫困的地区。

多沙粗沙地区是我国和世界上水土流失最为严重的地区,半数以上面积侵蚀模数大于10 000t/(km²·a), 局部侵蚀模数高达30 000t/(km²·a)以上,年均输入黄河泥沙14亿 t, 占黄河总沙量的80%以上,其中粗沙占总沙量的50%~70%, 是黄河下游河道淤积粗沙的主要来源地,是造成黄河下游"悬河"水患威胁严重的主要根源。

该区自然条件恶劣,治理难度大,目前水土流失治理程度只有黄土高原其他地区的一半。且区内矿产资源丰富,是国家能源重化工基地,开发建设对地表植被破坏严重。因此,无论从振兴区域经济,缩小东西部差距,为国家经济发展的战略转移创造条件,促进农民脱贫致富,还是从根治黄河、建设生态农业、保护人类生存条件的角度看,黄土高原多沙粗沙区的治理,均应是黄土高原治理的重中之重。因此,本次规划,将该区的治理列为重点治理项目,综合治理安排如下:

近期:每年治理水土流失措施面积0.62万 km², 年治理进度3.25%。"九五"后三年(1998~2000年)主要安排在四大重点治

理区、世界银行贷款项目等已经开展的 18 条支流的 63 个县(旗、市),完成治理措施面积 1.86 万 km²,其中,基本农田 49.80 万 hm²,水保林 75.70 万 hm²,沙棘林 14.00 万 hm²,经济林 27.90 万 hm²。种草 18.60 万 hm²。2001～2010 年主要安排在对黄河治理影响较大的 32 条支流的 113 个县(旗、市),10 年完成治理面积 6.20 万 km²,到 2010 年,新增治理措施面积 8.06 万 km²,基中,基本农田 215.80 万 hm²,水保林 308.01 万 hm²,沙棘林 60.69 万 hm²,经济林 120.90 万 hm²,人工种草 100.60 万 hm²(见表 4、表 5)。

表 4　　　　　　　多沙粗沙区近期水土保持措施规划

年份(年)	省(区)	治理面积(万 km²)	基本农田(万 hm²)	经济林(万 hm²)	水保林(万 hm²)	沙棘林(万 hm²)	种草(万 hm²)
1998～2000	青海	0.04	1.20	0.60	0.40	1.40	0.40
	甘肃	0.44	13.20	6.60	17.00	2.80	4.40
	宁夏	0.11	3.30	1.65	4.25	0.70	1.10
	内蒙古	0.30	3.00	4.50	15.30	4.20	3.00
	陕西	0.57	17.10	8.55	22.85	2.80	5.70
	山西	0.34	10.20	5.10	13.20	2.10	3.40
	河南	0.06	1.80	0.90	2.70		0.60
	小计	1.86	49.80	27.90	75.70	14.00	18.60
2001～2010	青海	0.11	3.30	1.65	0.26	4.69	1.10
	甘肃	1.45	43.50	21.75	55.94	9.31	14.50
	宁夏	0.40	12.00	6.00	15.69	2.31	4.00
	内蒙古	1.00	10.00	15.00	31.00	14.00	30.00
	陕西	1.91	57.30	28.65	76.57	9.38	19.10
	山西	1.15	34.50	17.25	44.75	7.00	11.50
	河南	0.18	5.40	2.70	8.10		1.80
	小计	6.20	166.00	93.00	232.31	46.69	82.00
合计		8.06	215.80	120.90	308.01	60.69	100.60

表5　　　　　　　　　　　　　　　**多沙粗沙区近期规划具体安排**

省(区)	1998～2000年				2001～2010年			
	治理任务(万km²)	安排支流	规划安排县(旗、市)		治理任务(万km²)	安排支流	规划安排县(旗、市)	
			个数	名　称			个数	名　称
青海	0.04	湟水	3	湟中、互助、民和	0.11	湟水黄河沿岸	10	西宁、湟中、平安、乐都、互助、民和、化隆、循化、尖扎、贵德
甘肃	0.44	马莲河祖厉河	8	庆阳、宁县、西峰、环县、合水、华池、定西、正宁	1.45	泾河上游葫芦河散渡河祖厉河	26	镇原、平凉、泾川、灵台、崇信、华亭、秦安、环县、华池、庆阳、西峰、合水、静宁、庄浪、通渭、甘谷、宁县、陇西、渭源、正宁、武山、漳县、榆中、天水、张家川、定西

续表 5

省(区)	1998~2000 年				2001~2010 年			
	治理任务（万 km²）	安排支流	规划安排县(旗,市) 个数	规划安排县(旗,市) 名称	治理任务（万 km²）	安排支流	规划安排县(旗,市) 个数	规划安排县(旗,市) 名称
宁夏	0.11	泾河上游、葫芦河上游、清水河	5	彭阳、西吉、隆德、固原、同心	0.40	泾河上游、葫芦河上游、清水河	8	彭阳、西吉、隆德、固原、海原、同心、盐池、中卫
内蒙古	0.30	黄甫川、无定河、哈什拉川、罕台川、呼斯太河	7	伊金霍洛、准格尔、东胜、托克托、乌审旗、鄂前旗、达拉特	1.00	黄甫川、窟野河、孤山川、红河、哈什拉川、罕台河、呼斯太川、杨家川	10	清水河、伊金霍洛、和林格尔、东胜、托克托、准格尔、凉城、乌审旗、鄂前旗、达拉特
陕西	0.57	无定河、延河、黄甫川、佳芦河	18	府谷、神木、子长、清涧、志丹、吴旗、佳县、榆林、米脂、子洲、绥德、定边、横山、靖边、安塞、延安、延长、延川	1.91	孤山川、秃尾河、窟野河、无定河、延河、佳芦河、黄甫川、北洛河、清涧河、泾河上游、仕望河、汾川河	23	府谷、神木、子长、延川、清涧、吴旗、丹、佳县、米脂、子洲、绥德、定边、安塞、延安、吴堡、宜川、延长、旬邑、长武、彬县、榆林、横山、靖边

续表 5

省(区)	1998~2000 年				2001~2010 年			
	治理任务(万 km²)	安排支流	个数	规划安排县(旗,市) 名　称	治理任务(万 km²)	安排支流	个数	规划安排县(旗,市) 名　称
山西	0.34	偏关河、三川河、昕水河、蔚汾河	19	方山、离石、中阳、柳林、岚县、隰县、兴县、大宁、吉县、永和、河曲、临汾、偏关、交口、德、神池、朔州、平鲁、保	1.15	三川河、蔚汾河、昕水河、杨家川、关家川、朱家川、岚漪河、湫水河、屈产河、县川河	24	兴县、临县、中阳、柳林、永和、河津、离石、保德、大宁、蒲县、方山、武乡、岚县、交口、平鲁、五寨、吉县、神池、石楼、乡宁、右玉、苛岚
河南	0.06	伊洛河	3	嵩县、渑池、伊川	0.18	伊洛河黄河沿岸	12	义马、陕县、灵宝、渑池、新安、孟津、巩义、洛宁、宜阳、伊川、嵩县、三门峡
合计	1.86		63		6.2		113	

中期:每年治理水土流失治理措施面积 0.46 万 km², 20 年新增治理措施面积 9.20 万 hm², 其中, 基本农田 276.00 万 hm², 水保林 367.31 万 hm², 沙棘林 46.69 万 hm², 经济林 138.00 万 hm², 人工种草 92.00 万 hm²。到 2030 年, 累计新增治理面积措施为 17.26 万 km², 其中, 基本农田 491.80 万 hm², 水保林 675.32 万 hm², 沙棘林 107.38 万 hm², 经济林 258.90 万 hm², 人工种草 192.60 万 hm²(见表 6)。

表 6 多沙粗沙区中期水土保持措施规划

措　施	治理面积 (万 km²)	基本农田 (万 hm²)	经济林 (万 hm²)	水保林 (万 hm²)	沙棘林 (万 hm²)	种　草 (万 hm²)
2011~2030 年	9.20	276.00	138.00	367.31	46.69	92.00
到 2030 年累计完成	17.26	491.80	258.90	675.32	107.38	192.60

远期:除对剩余水土流失面积进行治理外, 主要是对已有治理成果进行管理、巩固、完善、提高。

二、治沟骨干工程

1986 年治沟骨干工程列为国家基本建设项目以来, 黄土高原地区安排实施的 903 座治沟骨干工程, 已有 652 座竣工验收并交付使用, 这些工程可拦泥 4.24 亿 t, 可淤地 0.90 万 hm², 发展灌溉面积 0.41 万 hm², 放养鱼苗 295 万尾, 解决了当地农村生活用水困难的问题, 有效保护沟道川台地 0.81 万 hm²、村庄 158 个、农户 6 548 户、桥涵 123 座, 不仅经受了大洪水的考验, 而且发挥了巨大的社会效益、经济效益、生态效益。实践证明, 在黄土高原多沙粗沙区结合小流域综合治理, 加强治沟骨干工程建设, 是较快减少入黄泥沙的关键措施。治沟骨干工程与小流域综合治理措施相配合,其功能已由原来的拦截泥沙,淤地造田,发展成为干旱山区开发利用有限水资源的水利基础工程,充分利用治沟骨干工程建成后的相当长一段时期内的蓄水能力,可以提高其他水保措施在干旱条件下稳定持续地发挥效益。通过科学规划、系统布设、合理实施,不仅能保证工程本身的安全,而且也保护了下游小型沟道工程的安全,提高了其他小型水利水保工程措施的防御标准。骨干工程淤出的坝地,粮食亩产是一般坡耕地的 5~8 倍,是促进当地群众脱贫致富的"保命田"。

(一)治沟骨干工程主要布设的范围

主要布设在多沙粗沙区大于 $3km^2$ 的 6 758 条沟道内,涉及 7 省(区)26 个地(盟、市)的 118 个县(旗、市)。重点是侵蚀模数 10 000t/(km^2·a)以上的区域,包括陕西的榆林、延安,山西的忻州、吕梁、临汾,内蒙古的伊克昭盟、乌兰察布盟和甘肃的庆阳、定西地区的 41 个县(旗、市)。重点支流是黄甫川、窟野河、无定河、县川河、孤山川、秃尾河以及渭河、北洛河上游、泾河支流马莲河源区。

(二)规划的总体布局

在已建成的 903 座的基础上,新建治沟骨干工程 19 097 座,到 2050 年累计达到 20 000 座,其中在侵蚀模数大于 15 000t/(km^2·a)的 4.9 万 km^2 剧烈侵蚀区安排 8 000 座;在侵蚀模数 8 000~15 000t/(km^2·a)的 6.3 万 km^2 极强度侵蚀区安排 7 000 座;在侵蚀模数 5 000~8 000t/(km^2·a)的 7.8 万 km^2 强度侵蚀区安排 5 000 座。

(三)规划进度安排

近期建设治沟骨干工程 6 500 座,中期建设 10 000 座,远期建设 2 597 座。近期治沟骨干工程建设安排详见表 7。

表7　　　　　　　多沙粗沙区治沟骨干工程近期规划　　　（单位:座）

省(区)	1998 年	1999 年	2000 年	2001～2010 年	小　计
陕　　西	220	220	220	2 190	2 850
山　　西	97	97	97	959	1 250
内蒙古	88	88	88	876	1 140
甘　　肃	70	70	70	700	910
宁　　夏	15	15	15	165	210
青　　海	8	8	8	86	110
河　　南	2	2	2	24	30
合　　计	500	500	500	5 000	6 500

三、水土保持监测网络建设

为全面贯彻落实《中华人民共和国水土保持法》,监测水土流失面积、分布、流失量,水土流失发展趋势及危害,水土保持预防监督、治理开发情况及效益,为各级领导及时、准确、科学决策提供依据,将水土保持监测网络建设列为重点项目。在重点治理区,着重监测小流域及沟道水文要素和水土保持设施、质量、效益;在预防保护区主要对植被面积、结构、总体效益和生态环境变化进行监测;在监督区重点监测开发建设项目造成的人为水土流失面积、弃土弃渣位置、数量和造成的危害,治理后的效果。

规划安排与现有水文、水保等部门相结合,设立流域水土保持监测中心 1 个,各省(区)监测分中心 7 个,重点支流及黄河干流控制监督监测站 40 个,监测站点 528 个。计划在 2000 年建成流域监测中心和各省(区)监测分中心;2005 年底建成各重点支流与黄河干流控制监测站;2010 年建成所有监测站点,初步形成监测与信息网络体系。2010 年以后对监测与信息网络进行完善、提高,并全面开展监测预报工作。

第四节　支持服务系统建设

支持服务系统建设是黄土高原水土保持建设顺利实施的保证,主要包括项目实施的组织管理、协调、科研、示范、推广及技术培训等内容。

一、组织管理系统建设

规划对流域机构及各省(区)水土保持管理机构从管理手段、设备条件、人员配备等方面予以加强和充实,形成结构合理、运转灵活、适应项目实施管理需要的组织机构与管理队伍,对项目实施进行有效的管理、检查、督促、验收。

二、科研与推广

根据目前水土保持科技水平和规划实施中急需解决的关键性技术问题,重点对以下课题组织协作攻关:①多沙粗沙区环境资源综合评价与治理开发研究;②高产稳产基本农田建设研究;③提高造林种草成活率、保存率和效益的研究;④小流域综合治理深化的研究;⑤水土保持预防监督规范化建设研究;⑥水土保持信息管理系统的开发研究;⑦水土保持效益计算方法与评价模型的研究;⑧有关防治水土流失的社会经济、法规和政策的研究;⑨大面积水土保持措施综合效益的研究。实行试验、示范、推广相结合,到2030年,黄土高原水土保持科技成果转化率达到80%以上,到2050年科技贡献率达到50%以上。

三、示范区建设

规划在2010年以前推广运用传统技术精华与现代新技术,建成三个流域面积为100km² 左右的各项水利水保措施配套、治理与开发结合、科技水平高的示范区。示范区治理程度要达到80%以上,基本控制水土流失,人民生活水平显著提高,生产建设与生态环境协调发展,为整个黄土高原的治理开发树立样板。示范区的建设应积极探索在社会主义市场经济条件下,不同类型区水土保持促进农村经济、环境、社会稳定持续发展的新的综合技术体系、产业建设有效途径和新的管理运行机制。

四、技术培训

技术培训内容包括管理技术、应用技术、监测评价技术、政策法规等。规划在流域机构设立科技培训中心,负责对管理、监督、科研、监测人员的培训,使各级管理、科技人员都能得到及时培训。各省(地、县)根据当地实际,设立培训基地,主要负责对广大农民进行实用技术培训,到 2030 年培养造就一支 400 万人、有一定专长的农民技术员队伍。

第五章　投入估算与效益分析

第一节　投入估算

一、投入定额

水土流失受自然和人为因素的影响,考虑黄土高原地区自然条件差,气候恶劣,治理难度大,加之人为因素造成的新的水土流失严重,开展的综合治理面积与实际保存面积有一定差距。根据多年水土保持调查统计资料分析和典型推算,本次规划中保存面积与开展面积的折算系数为 60%。规划中出现的治理面积一律为保存面积。

投资定额:整个黄土高原水土流失综合治理总造价平均按每平方公里 50 万元计算,按中央、地方、群众投入构成比例,编制了三个方案:第一方案为中央、地方、群众投入分别占 30%、30% 和 40%;第二方案为 10%、10% 和 80%;第三方案为 60%、20% 和 20%。考虑自然社经条件和治理难度的差别,又分为多沙粗沙区和其他治理区。定额详见表 8。治沟骨干工程投资定额是 57 万元/座(不包括群众投劳折资),中央和地方投资比例为 7:3。群众以投劳为主。

表 8 综合治理不同类型区不同方案定额 (单位:万元/km²)

方案	治理区	投资定额	中央	地方	群众
Ⅰ	多沙粗沙区	56	21	15	20
	其他治理区	46	11	15	20
Ⅱ	多沙粗沙区	56	9	7	40
	其他治理区	46	2	4	40
Ⅲ	多沙粗沙区	56	36	10	10
	其他治理区	46	26	10	10

二、方案比较与分析

三个方案中,中央投入第三方案最高,占总投入的 59.56%;第一方案次之,占 31.96%;第二方案最少,占 13.02%。第三方案国家投入大幅度增加,对水土保持工作的开展有利,但考虑目前的国情,国家拿出如此巨大数额的投资用于一个流域的水土保持工作,可能性不大,也不符合水土保持以地方和群众投入为主的原则;第二方案,中央投入最少,但群众投入占总投入的 74.63%,考虑黄土高原地区经济比较落后,水土流失区农民收入更低,群众难以承受,只能以投劳的方式实现,群众投劳过多会影响整个农业生产,水土保持的建设速度、质量、标准更难保证。第一方案,中央投资数额较目前有较大幅度的增加,但也仅占总投资的 31.96%,体现了国家在投资上对黄土高原治理的倾斜,有利于加快治理速度,提高治理标准,又体现了地方和群众投入为主的原则。

综上所述,本规划推荐采用第一方案并进行投入估算。

三、投入估算

略。

第二节　效益分析

规划实施后,黄土高原地区的生产、生活条件、生态环境将有大的改观,农、林、牧业将有较大发展,群众生活水平显著提高,入黄泥沙大量减少。为了粗略估计治理的各项效益,按照《水利建设项目经济评价规范》(SL72－94)和《水土保持综合治理效益计算方法》(GB/T15774－1995)的规定,重点对 1998~2030 年规划安排的各项措施的直接效益进行预测,并以 1996 年物价水平的财务价格,考虑资金的时间价值,采用动态分析为主的方法进行经济评价。

一、增产效益

(一)粮食

规划以梯田、坝地为主的基本农田及治沟骨干工程前期蓄水灌溉等,1998~2030 年可累计增产粮食 849 亿 kg,到 2030 年每年增产能力可达到 90 亿 kg,加上现有基本农田,水土流失区农业人均产粮可达 500kg 以上。

(二)果品

规划安排的经济林,1998~2030 年果品累计产量可达 1 555 亿 kg,到 2030 年每年可生产果品 225 亿 kg,仅此一项,水土流失区农业人均年收入可增加 400 元。

(三)林副产品

规划实施后,1998~2030 年活立木蓄积量可累计达 11 551 万 m³,薪柴产量累计达到 1 695 亿 kg,饲草产量累计达 1 350 亿 kg。

二、拦沙效益

1998~2030 年规划的各项治理措施及治沟骨干工程,可累计拦蓄泥沙 185 亿 t,有效地减少黄河下游河道的淤积。

三、生态效益

规划实施后,大幅度提高林草覆盖率,到 2030 年林草覆盖率将增加 43.7%,治坡措施与治沟措施的有机结合,将有效地控制水土流失,显著改善黄土高原地区生态环境恶化的状况,为社会经济的可持续发展创造优美的生态环境。

四、社会效益

规划的实施,将有效地改善农业生产条件,提高土地利用率和劳动生产率,促进土地利用结构和农村产业结构的合理调整,提高环境容量和人民群众的物质文化生活水平,促进社会进步。基本农田的兴修,在促进陡坡退耕、还林还草的同时,每年还可节约 3.3 亿个劳动工日;治沟骨干工程建设,可保护 11.3 万 hm² 川台地的生产免受洪水危害,前期蓄水平均每年可增加灌溉面积 5.2 万 hm²,解决 650 万农业人口和 950 万头大牲畜的饮水困难,缓解干旱缺水问题;坝路结合还可极大地方便城乡交通,促进农村的经济发展。

五、经济效益及评价指标

上述增产效益,可实现产值4 238亿元,见表9。

表 9　　　　黄土高原地区水土保持建设效益预测

项目	粮食	果品	活立木	薪柴	饲草	拦泥	合计
产品产量 (亿 kg,万 m³,亿 t)	849	1 555	11 551	1 695	1 350	185	
产值(亿元)	1 103	2 488	61	203	243	185	4 283

根据效益费用流量进行动态分析计算(社会折现率采用 12%,基准年为 1998 年年初),计算期内经济净现值 $ENPV = 174$ 亿元,经济内部收益率 $EIRR = 23.8\%$,经济效益费用比 $EBIR =$

1.23。

此次规划各项治理措施的进度安排是比较快的,这既是黄土高原地区经济发展的需要,也是治黄事业发展的需要。随着改革的不断深入和综合国力的不断增强,在保证投入的前提下,实现这一规划也是可能的。但是由于这一地区经济基础薄弱,自然条件恶劣、人口相对较少,完成规划提出的各项任务也是十分艰巨的。特别是随着治理程度的不断提高,巩固已开展治理面积的任务也越来越重,新开展治理面积的难度也越来越大,治理标准的要求也越来越高,因此黄土高原地区水土保持建设仍然是一项长期、艰巨的任务。

第六章　规划的实施与管理

治理黄土高原地区的水土流失,改善生态环境,建设生态农业,减少入黄泥沙,治理黄河是一项跨世纪的庞大的系统工程,必须建立健全稳定的投入保障机制和政策扶持体系,才能调动各方面的积极性,实现规划制定的目标和各项治理任务。为此,需要采取如下的实施和管理措施。

一、纳入国家重点建设计划

黄河流域黄土高原地区的水土流失是我国西北地区社会、环境、经济发展相对滞后的重要原因,是黄河水患的主要根源。水土流失防治直接关系到黄河的长治久安和西北乃至全国的社会安定、经济发展。根据水土保持周期长、经济效益滞后、社会公益性强的特点和该区经济基础薄弱,农民群众自筹能力低的实际情况,建议国家把黄土高原水土流失防治列入重点建设计划,加大投资力度,专项予以支持。

二、贯彻落实有关法律法规

认真贯彻落实《中华人民共和国水土保持法》、《水土保持法实施条例》等有关法规,建立健全水土保持法制体系和水土保持监督机构为主体的执法体系,依法协调全社会经济开发与环境保护、眼前经济利益与长远环境利益、局部利益与整体利益等各种经济利益关系,合理开发利用水土资源,最大限度地减少人为水土流失,巩固和发展水土保持治理成果,提高综合治理效益,促进水土保持健康有序发展。

三、建立健全流域管理与区域管理相结合的管理体制

黄河流域黄土高原多沙粗沙区的综合治理以及治沟骨干工程等重点建设项目,是黄河治理的重要组成部分,应由流域机构纳入治黄总体规划,在统筹安排下,严格按照基本建设项目进行管理,建立工程立项、审批、实施、质量监督与工程验收等科学的工作程序和严格管理制度,由各省(区)分别实施治理,确保国家投资目标的实现。该区之外的其他流失区的治理,列入地方各级政府的重要职责,由地方政府根据流域性水土保持规划,因地制宜地制定详细治理开发计划,在流域机构的监督指导下,采取多种切实可行的措施和不同治理责任制,按计划组织实施,实现改善农民群众生产、生活条件,发展区域经济,提高人民群众生活水平,改善生态环境的目标。

四、建立新的投入机制

合理调节社会经济利益关系,形成"国家投入一部分,地方匹配一部分,生态受益区经济开发解决一部分"的投入机制。直接影响黄河治理开发和区域社会经济发展的多沙粗沙区治理,以及在该区开展的治沟骨干工程建设和监测网络与支持服务系统建设,采取国家投资为主,地方积极匹配,群众投劳相结合的投入方式。各地区大面积的基本农田建设、水保林营造、人工种草等直接为当地经济发展服务的建设内容,应以地方财政投入为主,群众投资投劳,国家适当扶持。在水土保持生态受益区进行的各种经济开发和建设工程,应建立水土保持效益补偿制度,按一定比例对水土保

持生态效益予以补偿,实行"谁受益、谁投入","谁破坏、谁治理"的新型投入机制。形成"水保为社会,社会办水保"的局面。

积极引进外资,开展金融信贷,增加农业综合开发、财政支农扶贫开发等资金和以工代赈、以粮代赈等用于水土流失治理的比例,扩大水土保持建设资金来源。

五、建立适应市场经济的良性运行机制

转变观念,深化改革,把市场机制、激励机制、竞争机制引入水土保持工作中,进一步巩固和发展以户承包、联户承包、专业队承包、租赁治理、股份合作治理和"四荒"地使用权拍卖等多种水土流失治理形式,利用利益驱动,充分调动社会各方力量投入水土流失治理的积极性,提高治理效益,加快水土保持建设步伐。

改革投资方式和投资使用办法,对国家补助投资采取"以奖代补、以息代补、先干后补"等多种补助办法,提高资金使用效果,国家投资实行部分有偿使用,或作为合作治理的股份,吸引社会各方投入,回收资金、收取的红利、拍卖金、效益费等,建立水土保持基金,继续用于水土流失的治理,使水土保持建设形成滚动发展的良性运行机制。

六、加强科学研究,提高治理水平

加强水土保持科学技术研究,建立健全黄河流域水土保持科研机构,加速科技队伍建设,搞好水土保持技术推广,大力开展新技术培训,注重引进、消化、吸收国内外先进技术与管理经验,加速水土保持单项措施的重大突破,实现传统技术精华和现代适用新技术的有机结合,组装配套,全面提高水土保持科技的总体水平。

（编写人员:邓盛明、汪习军、苏仲仁、张智民、刘正杰、刘景发、康玲玲、王欣成、王逸冰、梁其春、周世波、杨希刚、寇培进、王文善）

黄河流域黄土高原地区
水土保持生态环境建设规划

为了全面落实江泽民总书记"再造山川秀美的西北地区"及视察黄河时的指示精神,以及朱镕基总理视察陕西时"退田还林(草)、封山绿化、个体承包、以粮代赈"与视察西北三省时"防止水土流失是当前生态环境建设的紧迫任务,治理黄上高原水土流失,加强生态环境建设是治理黄河,让黄河造福于中华民族的一项根本措施"的讲话精神,遵循《黄河的重大问题及对策》中的原则,根据黄河水利委员会的部署,黄河上中游管理局规划设计研究院对1997年《黄河流域黄土高原地区水土保持建设规划》进行了修订。修订后的规划,在指导思想、规划原则、总体布局及治理措施上,突山植物措施,注重沟道工程建设,稳定基木农田建设规划,加大了退田还林(草)的力度。在措施配置上既考虑了群众生产生活的基本需要,又考虑了坏境改善和社会经济的可持续发展,促进生态环境实现良性循环。为新形势下黄河流域黄土高原地区今后50年的水土保持生态环境建设的宏观决策提供依据。

第一节 基本情况

黄河流域黄土高原地区(以下简称黄土高原地区)西起日月山,东至太行山,南靠秦岭,北抵阴山,涉及青海、甘肃、宁夏、内蒙古、陕西、山西、河南7省(区)46个地(盟、州、市)306个县(旗、市、区)。全区总面积64万 km²,其中水土流失面积45.4万 km²(水蚀面积33.7万 km²、风蚀面积11.7万 km²),年均输入黄河泥沙16亿 t,是我国乃全世界上水土流失最严重、生态环境最脆弱的地区。

黄土高原地区,地处我国中西部,地位十分重要。早在100万年以前,就有人类生息活动。这里历史上森林茂密,草丰水美,农业发达,繁荣昌盛,是我国文明的发祥地。该地区有丰富的煤炭、石油、天然气等矿藏资源。严重的水土流失使这一地区生态环境恶化,成为制约社会经济发展的重要因素。中共十五届四中全会作出了西部大开发的战略决策,为黄土高原地区开发与建设带来了难得的机遇,加快治理水土流失成为一项紧迫的战略任务。

一、自然情况

黄土高原地区幅员辽阔,自然地理条件复杂。有两个显著特点:一是地形破碎、土质疏松、植被稀少、暴雨集中,易于产生水土流失,而且干旱、风沙等自然灾害频繁;二是降雨、土壤、植被等具有明显的地带性,从东南到西北呈现有规律的变化。

1.地貌特征

全区宏观地貌有丘陵、高塬、阶地、平原、沙漠、干旱草原与高地草原、土石山区等,其中,山区、丘陵区、高塬区占 2/3 以上。黄土高原地区地形破碎,千沟万壑,沟壑密度大,尤其是丘陵沟壑区,沟壑密度达 $3\sim6km/km^2$。

2.地面组成物质

区内除石质山岭和沙漠外,大部分为黄土覆盖。黄土结构疏松,富含碳酸盐,孔隙度大,透水性强,遇水易崩解,暴雨中极易冲刷流失。

3.植被

全区植被稀疏,天然次生林和天然草地仅占总土地面积的16.6%,主要分布在林区、土石山区和高地草原区,其他大部分是荒山秃岭。

4.降水

全区年降水量少而集中、具有明显的地带性。大部分地区一般年降水量为 400～500mm,其中,6～9 月份降水量占全年降水量的 60%～70%,且多以暴雨出现。东南部面积占全区面积的 15%

左右,年降水量为 600～700mm;中部面积占 60％左右,降水量为
400～500mm;北部面积占 25％左右,降水量为 200～300mm。

二、社会经济情况

截至 1997 年底,黄土高原地区总人口为 9 075 万,其中农业
人口 6 920 万,农业劳动力 2 751 万个。粮食总产量 2 428.25 万
t,农业人均粮食 350kg,人均收入 1 019 元左右(见表1)。

黄土高原地区社会经济的主要特点为:一是人口密度分布不
均,从东南到西北人口密度逐渐减小。东南部一般在 200
人／km²以上,中部为 50～150 人／km²,西北部一般在 50
人／km²以下。二是土地利用结构不合理。集中表现在农耕地比
重过大,一般占林牧用地的 60％以上,而农耕地中大部分为坡耕
地,林地、人工草地比重小,森林覆盖率不足 6％。三是土地经营
粗放,广种薄收,粮食单产低,坡耕地平均亩产仅 50kg 左右。

三、水土流失情况

1.水土流失特点

黄土高原地区地域宽广,水土流失严重,其特点如下。

1)水土流失面积大

根据 1990 年全国土壤侵蚀遥感普查资料,全区侵蚀模数大于
1 000t/(km²·a)的轻度以上水土流失面积为 45.4 万 km²,占全区
土地面积的 70.9％。黄土高原地区 7 省(区)的水土流失面积,见
表2。

2)水土流失强度大

侵蚀模数大于 5 000t/(km²·a)的强度以上水蚀面积 14.6 万
km²,占黄土高原地区水土流失面积的 32.1％,占全面同类面积的
38.9％;侵蚀模数大于 8 000t/(km²·a)的极强度以上水蚀面积为
8.51 万 km²,占黄土高原地区水土流失面积的 18.7％,占全国同
类面积的 64.1％;侵蚀模数大于 15 000t/(km²·a)的剧烈水蚀面
积为 3.67 万 km²,占黄土高原地区水土流失面积的 8.1％,占全

表 1　　　　黄土高原地区 1997 年社会经济现状

| 省（区） | 总土地面积（万亩） | 人口（万人） | | 劳动力（万个） | 粮食总产量（万 t） | 人口密度（人/km²） | 农业人口 | |
		总人口	农业人口				人均粮食（kg/人）	人均收入（元/人）
青海	6 980	386.35	250.44	100.17	73.13	83	292	1 000
甘肃	20 336	1 735.73	1 407.89	563.16	575.83	128	409	900
宁夏	7 770	528.94	394.19	157.68	134.02	102	340	1 050
内蒙古	22 671	732.1	417.57	167.03	123.18	48	295	1 100
陕西	19 952	2 627.02	2 015.25	806.10	709.37	198	352	1 000
山西	14 625	1 962.39	1 510.66	604.26	498.52	201	330	1 050
河南	4 080	1 102.63	924.13	369.65	314.2	405	340	1 150
合计	96 415	9 075.16	6 920.13	2 768.05	2 428.25	141	350	1 019

表2　　　　　黄土高原地区七省(区)水土流失面积　　(单位:km²)

省(区)	总面积	侵蚀模数>1 000t/(km²·a)面积	侵蚀模数>5 000t/(km²·a)面积
青海	46 536.50	23 253.38	3 557.96
甘肃	135 573.40	83 681.41	40 962.47
宁夏	51 800.00	38 452.67	10 613.79
内蒙古	151 139.90	125 124.27	48 114.60
陕西	133 015.00	88 379.53	49 677.53
山西	97 503.00	75 854.93	31 334.66
河南	27 200.00	19 565.81	6 349.26
合计	642 767.80	454 312.00	190 610.27

国同类面积的 89%。局部地区的侵蚀模数甚至超过 30 000 t/(km²·a)。

3)水土流失时空分布集中

水土流失主要集中分布在河口镇至龙门区间及泾、洛、渭河中上游和其他部分地区,共 21.22 万 km² 的多沙粗沙区。该区面积虽占黄土高原地区总面积的 33%,但多年平均年输入黄河的沙量达 14 亿 t,占黄河多年平均年输沙量的 87.5%,产沙时间主要集中在汛期(6~9 月),其产沙量一般占年产沙量的 80% 以上,且往往义是几场暴雨造成的。

4)水土流失类型复杂、多样

黄土高原地区不同区域的水土流失特点各不相同,大部分地区以水蚀(包括面蚀、沟蚀等)为主,长城沿线以北地区以风蚀为主,部分地区水蚀、风蚀相互交织,沟壑内重力侵蚀(包括滑塌、崩塌、泻溜等)异常活跃。

5)人为造成的水土流失严重

一是人类极不合理地开发利用土地资源,使整个生态环境遭到破坏,造成土壤的加速侵蚀。随着人口的不断增加,迫于对粮食、饲料、燃料需求量的增加,采取掠夺式的经营方式,陡坡开荒,毁林毁草,破坏植被;过度放牧,造成草地退化,土地"沙化"、"石化"。

二是在修路、开矿、建厂等经济开发建设中,忽视水土保持,导致地表植被及水土保持治理成果的严重破坏,加之随意弃土弃渣,造成新的人为水土流失。

2.水土流失的主要危害

(1)恶化了生态环境。大量的水土流失把地面切割得支离破碎、千沟万壑,全区长度大于 0.5km 的沟道达 27 万条;水土流失和原有植被破坏,恶化了生态环境,加剧了干旱等自然灾害。据甘肃省 18 个县连续 44 年的资料,旱年或大旱年份 17 年,占 38.6%;其他风、雹、霜等灾害年份 19 年,占 43.2%。

(2)制约了社会经济的发展。年复一年的水土流失,使耕作层土壤被冲刷,土层变薄,土地"沙化"、"石化",土壤田间持水量下降,肥力衰减,生产能力下降,粮食产量低而不稳,坡耕地正常年景的亩产量一般只有 50kg 左右。在严重流失区年均损失耕作层 1cm 以上,约是土壤形成过程所需时间的 400 倍。董志塬是黄土高原地区最大的高塬,自唐代以来的 1 300 多年间,塬面被蚕食面积达 90 万亩,年平均损失约 690 亩。水土流失导致黄土高原地区土地的严重破坏,极大地影响了当地人民的生产生活和生存,形成"越穷越垦,越垦越穷"的恶性循环,是当地经济落后和群众生活贫困的根源。在国家"八七"扶贫计划 592 个贫困县、8 000 万贫困人口中,黄土高原就有 126 个贫困县 2 300 万贫困人口。

(3)大量泥沙淤积下游河床,威胁黄河防洪安全。黄土高原地区多年平均年输入黄河的 16 亿 t 泥沙中,约有 4 亿 t 沉积在河床内,使河床逐年抬高。目前黄河下游河床平均高出地面 4~6m,形成举世闻名的"地上悬河",直接威胁着下游两岸广大地区人民生命财产的安全,仍然是中华民族的"心腹之患"。人民治黄以来,虽曾三次全面加厚加高下游堤防,仍然不能从根本上解决"越淤越高,越高越险"的状况。如 1996 年黄河郑州花园口洪峰流量仅 7 600 m³/s,其中水位比 1958 年 22 300 m³/s 流量的水位还高 0.91 m,淹没下游滩地 344 万亩,107 万人受灾。

(4)水资源的利用受到了限制。水土流失使水库等水利设施淤积严重,缩短了使用年限。黄河的平均沙量高达 35 kg/m³,是世界上含沙量最高的河流,引水灌溉必然引沙,使渠道淤塞和良田沙化。大量泥沙输送入海,需耗用大量的水资源,使本以紧缺的黄河水资源的可利用量减少。

第二节　水土保持生态环境建设现状

一、治理成就

新中国成立后,黄土高原地区作为我国水土保持工作的重点地区,得到党和国家的高度重视,在全国率先开展了大规模的水土流失治理活动。从典型示范到全国发展;从单项治理、分散治理到以小流域为单元,不同类型区分类指导的综合治理;从防护性治理到治理开发相结合,生态、经济、社会效益协调发展。50 年来,黄土高原地区的水土流失治理取得显著的成效。

1.开展了水土保持综合治理

截至 1998 年底,据对全区各省(区)统计,共完成初步治理面积 17.13 万 km²,其中,营造水土保持林 13 200 万亩,人工种草 3 600 多万亩;修建各类水保集雨工程 300 多万处(座)、淤地坝 10

万余座,治沟骨干工程 1 077 座;建设基本农田 8 900 多万亩,其中,坡耕地改建水平梯田 6 900 多万亩,其他类型基本农田(坝地、小片水地等)2 000 多万亩。黄土高原地区各省(区)水土保持初步治理措施面积见表 3。

表 3   1998 年各省(区)水土保持初步治理措施

省(区)	基本农田 (万亩)	水保林 (万亩)	人工种草 (万亩)	淤地坝 (座)	骨干工程 (座)	合计 (km²)
青海	268.0	419.2	83.8	3 483.0	29.0	5 140.0
甘肃	2 389.1	2 126.4	1 215.5	4 350.0	150.0	38 200.0
宁夏	376.8	469.2	287.5	4 548.0	44.0	7 555.3
内蒙古	252.8	2 126.4	514.3	16 979.0	242.0	19 307.3
陕西	3 348.1	4 432.3	1 215.3	35 290.0	313.0	59 964.0
山西	1 746.2	2 929.6	266.8	35 117.0	283.0	32 949.3
河南	519.4	696.9	17.3	3 873.0	16.0	8 223.3
合计	8 900.4	13 200.0	3 600.5	104 800.0	1 077.0	171 339.2

2. 改善了部分地区的生态环境

20 世纪 80 年代以来,国家在黄土高原地区开展了小流域治理试点、全国重点治理区等,地方政府也开展了许多重点治理小流域活动,经过几年的综合治理,项目区治理程度大大提高,通过基本农田建设,人均基本农田已占到 2 亩左右,使大量水土流失严重的坡耕地得到退耕还林还草,水土流失得到有效控制。沟道工程建设控制了沟壑的发育,制止了沟岸扩张、沟头前进。尤其是林草植被建设,使这些区域的林草覆盖率大幅度提高,如黄河流域四大重点治理区 54 条小流域,经 9 年治理,林草覆盖率由治理前的 19% 提高到 57%,从而使生态环境得到改善。一些流动沙地得到了固定和开发,一定程度上延缓了沙漠化的发展。曾经受沙漠化严重威胁的陕北榆林地区,现在已营造 1 460 万亩的水土保持防风固沙林,发展养鱼水面 18 万亩,使沙区 68% 的面积得到治理,变沙进人退为人进沙退。

3. 增加了经济效益

水土保持生态环境建设有效地改变了一些地区的农业生产条件。现有水土保持措施,每年可增产粮食 40 多亿公斤,生产果品 250 亿 kg,使 1 000 多万农民解决了温饱和农村生活用水问题,缓解了水土流失区群众的"三料"(肥料、饲料、燃料)困难,累计水土保持综合经济效益达 2 000 亿元。水土流失的治理有力地促进了区域群众脱贫致富的步伐,黄土高原地区列入国家"八七"扶贫计划的贫困人口数量已由 2 300 万减少到目前的 1 350 万。

4. 减少了入黄泥沙

根据观测资料分析,70 年代以来,水土保持措施多年平均年减少入黄泥沙 3 亿 t 左右,减轻了黄河下游河道淤积,也相应减少了下游输沙用水,为黄河水资源的开发利用创造了有利条件。

5. 涌现了一大批先进典型

经过多年的治理开发,从黄土高原地区众多的小流域,到水土保持示范县建设;从黄河一级支流,到水土保持世界银行贷款项目的大规模治理开发,都涌现出了一批治理一方水土、致富一方人民的成功范例。如:①黄土丘陵沟壑区的甘肃省定西县官兴岔小流域,水土流失面积 20.76km²,历史上就以"苦甲天下"而闻名,1983 年起,经过多年治理,累计综合治理措施面积 17.73 km²,治理程度达到 85.4%。综合治理改变了昔日贫穷落后的面貌,人均产粮 400 kg,人均收入 700 元。②黄土高原沟壑区的陕西省长武县,总面积 567 km²,其中水土流失面积 542 km²,从 1991 年开始治理,到 1995 年底,累计治理水土流失面积 466 km^2,治理程度达 81%。农业总产值从 0.96 亿元提高到 2.7 亿元,年输沙量从 135 万 t 减少到 90 万 t。③黄河一级支流三川河流域,地处严重水土流失的多沙粗沙区。流域面积 4 161 km^2,水土流失面积 2 767 km^2,年均土壤侵蚀模数 8 402 t/km^2。1983 年列为全国重点治理区后,经过 15 年的连续综合治理,到 1997 年底,全流域累计完成治理措施 2 020 km^2,治理程度达 73%,建设淤地坝 1 603 座,其他水保工程 3 500 处;人均产粮 495kg,人均收入 968 元,分别是 1982 年的 1 倍和 10 倍;拦泥效益为 71%,蓄水效益为 62% 等。

6.水土保持预防监督走上了法制轨道

《中华人民共和国水土保持法》的颁布实施,标志着水土流失防治走上了法制轨道,水土保持法规体系和监督执法体系逐步建立健全,执法力度加大,水土保持意识和法制观念日益深入人心。据统计,截至 1998 年底,黄土高原地区七省(区)全部制定了《水土保持实施办法》及其他配套地方性法规。黄委会、黄河上中游管理局成立了水土保持监督处,省(区)、地已经建立了监督执法机构,253 个县(旗、市)也已建立了水土保持监督执法机构,配置专职监督执法人员 2 800 多人,兼职监督检查员 11 600 多人;共审批水土保持方案报告书(表)16 400 多个,促使开发建设单位投入水土流失防治费用累计达 5 亿多元;依法查处违反水土保持法案件 9 000 余起;各省(区)累计收缴水土流失防治费和水土保持补偿费 6 900 多万元。

7.科研成绩显著

在水土保持科学研究方面,坚持面向黄土高原地区,服务于治理开发的方针,在水土流失规律、小流域综合治理、植被建设、治沟骨干工程建设等应用基础和实用技术方面取得了显著成绩,形成了具有黄河流域特色的水土保持科学技术体系。1942 年,黄委会在天水成立了全国第一个水土保持科学试验站,50 年代初又成立了西峰、绥德水土保持科学试验站,目前,黄土高原地区水土保持科研单位已发展到 38 个,科技人员 2 600 余人,取得了有较高学术水平和实用价值的科技成果 2 000 余项,其中有 20 多项科技成果获国家级科技进步奖,100 多项获省(部)级科技进步奖。

二、基本经验

在 50 年的实验中,黄土高原地区的水土保持工作积累了丰富的经验,为本地区水土流失治理走出了一条具有特色的路子。

1.以小流域为单元,工程、植物和耕作三项措施相结合,统筹规划,综合治理

小流域是水土流失的基本单元,不论是自然流失,还是人为造成的水土流失,按流失过程都是从小流域开始。由于水土流失的多样性和流失规律的复杂性,加之人口、经济与社会发展的需求也不相同,因此,以小流域为单元,山、水、田、林、路统筹规划,工程措施、植物措施和耕作措施相结合,综合治理才能取得群体效益。

2.以多沙粗沙区的治理为重点,加强以治沟骨干工程为支撑的坝系建设,有效地减少了入黄泥沙

黄河的症结是泥沙,尤其是粗泥沙。淤积在下游河床的粗泥沙主要来自黄土高原地区的河口镇至龙门区间和泾、洛、渭河中上游地区等 21.22 万 km² 的多沙粗沙区。重点加强多沙粗沙区的治理,是尽快减少入黄泥沙的关键。多沙粗沙区大部分属于丘陵沟壑区和高塬沟壑区,以沟道侵蚀为主。多年来,在加强坡面治理的同时,坚持以治沟骨干工程为主体的坝系建设,截至 1998 年底,安排建设治沟骨干工程 1 077 座,配套淤地坝 10.48 万座,不仅拦截了泥沙,抬高了侵蚀基点,保持了水土,还淤成了坝地 522 万亩,旱涝保收,粮食单产一般为梯田的 2～4 倍,是坡耕地的 5～10 倍,被群众誉为"保命田"。

3. 治理与开发相结合，逐步把水土保持生态环境建设引向市场，把资源优势转化为商品优势，突出经济效益，制定优惠政策，调动群众和社会投入治理的积极性

随着水土保持的发展和改革的不断深化，按照水土流失规律和社会主义市场经济规律的要求，把治理与开发融为一体，大力发展小流域经济，增加农民收入，激发了群众治理水土流失的积极性。坚持"谁治理、谁受益"，"谁投入、谁受益"的原则，大力推行户包治理责任制和"四荒"地使用权拍卖，"允许继承转让，长期不变"、"免缴有关税收"、优先技术服务和物资供应等优惠政策，进一步调动了广大群众和社会投入水土保持的热情。80 年代初出现的户包治理小流域，高潮时期黄土高原地区共有 350 多万户承包治理小流域，占这一地区农户的 38%。90 年代初又在全国率先推出了拍卖"四荒"地使用权治理水土流失的措施，都收到了良好的效果。实践证明这是符合社会主义市场经济规律的有效形式。

4. 重点工程建设实行项目管理，提高投资效益

为保证国家投资使用方向，提高治理工程质量和效益，对国家确定的重点治理项目实行了严格的管理。目前已开展的治沟骨干工程、试点小流域、四大重点治理区以及世界银行贷款项目等由于实行了项目管理，均取得了显著的效益。已建成的治沟骨干工程发挥了巨大的拦泥、蓄水、增产效益；试点小流域为各类型区综合治理找到了有效的方法和模式，提供了丰富的经验；四大重点治理区治理规模大，经济效益好，促进了区域经济的发展，小流域减沙效益均大于 50%；世界银行贷款项目为吸收和利用外资进行黄土高原地区水土保持综合治理提供了新的管理经验。

5. 发挥流域机构和各级政府的职能，统筹水土保持管理

流域机构不断加强对黄土高原地区水土保持规划、治理、科研、监督、示范工作，进行了流域总体规划和实施计划的编制，开展了重点项目和示范区工程的管理、水土保持执法监督和水土流失

监测、水土保持科学研究等工作,取得了显著成效,同时,协调七省(区)开展水土保持生态环境建设工作,统筹水土保持管理。七省(区)各级政府相继建立了领导任期内的目标责任制、水土保持工作报告制度和年终考评制度。将水土保持纳入了地方国民经济和社会发展计划,不断增加投资、完善政策,做好管辖范围内的规划和实施管理,吸收社会各界积极参加。经过几十年的发展,黄土高原地区的水土保持工作已初步形成了流域机构行业统筹、政府负责、协调一致、各负其责、相互配合的流域管理机制。

三、存在的主要问题

1.投入不足,治理力度不够,进度缓慢

据统计,截至到 1995 年前的 40 多年间,中央为黄土高原水土保持的投入平均 $1km^2$ 仅为 1.5 万元。1996 年以来,国家逐步加大了投入力度,1998 年达 6.7 亿元,但这与实际需求仍有相当的差距。投入力度不够,直接延缓了治理进度,尤其是多沙粗沙区治理进度更为缓慢。40 多年黄土高原地区平均年治理保存面积仅为 3 000 多 km^2。90 年代以来,每年虽然开展治理的面积都在 1 万 km^2 左右,但能保存的面积仅 6 000km^2 左右,不足国家要求每年完成 1.21 万 km^2 任务的一半,1998 年是进度最快的一年,但也只能保存治理面积 7 000km^2 左右。

2.治理标准低,治理任务依然艰巨

黄土高原地区已开展的水土保持治理措施的标准和质量较低,工程不配套,整体防护作用不高。截至 1998 年底,已完成的17.13 万 km^2 初步治理措施面积,只是在一定程度上降低了水土流失强度。其中相当一部分并没有达到 1 000 $t/(km^2 \cdot a)$ 的轻度侵蚀标准。治理、巩固、提高、配套、完善的任务非常艰巨。

3.“边治理、边破坏”在一些地方还相当严重

随着人口迅速增长和大规模的生产建设活动,新的人为造成的水土流失还在扩展。有的地方甚至出现“破坏大于治理”的情

况。子午岭和六盘山两个次生林区,新中国成立以来由于毁林开荒种地,共损失林地面积 5 200 km²,林线后退了 8~40 km。特别是晋陕蒙接壤区(俗称"黑三角"地区)和豫陕晋接壤区(俗称"金三角"地区),由于众多的小型煤(金)矿在矿藏开发和生产建设中忽视了保护环境,使本来就十分脆弱的生态环境更加恶化。据有关单位调查,1986~1993 年"黑三角"地区造成的弃土弃渣量达 1.2 亿 t。

第三节　水土保持的指导思想和总体布局

一、指导思想

全面落实江总书记关于"再造山川秀美的西北地区"和 1999 年 6 月视察黄河时的指示精神,以及朱总理 1999 年 8 月视察陕西时"退田还林(草),封山绿化,个体承包,以粮代赈"与视察西北三省时"防止水土流失是当前生态环境建设的紧迫任务,治理黄土高原水土流失,加强生态环境建设是治理黄河,让黄河造福于中华民族的一项根本措施"的讲话精神,遵循自然规律和经济规律,以控制水土流失、改善生态环境、减少入黄泥沙为目标,防治结合、强化治理,以多沙粗沙区为重点,小流域为单元,集中连片、规模治理,采取工程、植物和耕作综合措施,突出植被建设,注重治沟骨干工程建设,促进当地脱贫致富,把生态效益、经济效益和社会效益有机结合起来,加快黄河治理和黄土高原地区水土保持建设步伐。

二、"三区"划分及防治要求

按照国家的规定和要求,黄土高原地区从总体上划分为水土流失治理区、预防保护区和监督区等三类不同的水土保持工作区域,三类区域有不同程度的重叠。根据管辖范围和重要程度,其中每类工作区域又分别划分为国家、省以及省以下不同的重点区。

1. 治理区

涉及范围 45.4 万 km²。其中国家重点治理区面积 21.22 万

km^2,为侵蚀模数大于 5 000t/$(km^2 \cdot a)$、产沙集中、水土流失特别严重、对黄河下游河道淤积有重要影响且经济相对落后的多沙粗沙区,是黄土高原地区水土流失治理的重中之重。涉及黄土高原地区 7 省(区)的 127 个县(旗、市),半数以上面积侵蚀模数大于 10 000 t/$(km^2 \cdot a)$,局部侵蚀模数 30 000 t/$(km^2 \cdot a)$以上,多年平均年输入黄河泥沙 14 亿 t,占输入黄河总沙量的 87.5%,其中粗泥沙 4 亿 t 左右。

该区防治的目标是减少水土流失,改善生态环境。采取以小流域为单元,集中连片、规模治理,工程、生物和耕作措施相结合,实施综合治理。

2. 预防保护区

涉及范围 13.83 万 km^2,主要为轻微水蚀区、植被度为 40%以上的风沙区、次生林区和治理程度达 70%以上的小流域等。其中国家重点预防保护区面积 2.34 万 km^2,包括子午岭、六盘山等林区。子午岭林区,林区面积 1.59 万 km^2,位于北洛河与马莲河中上游,涉及甘肃、陕西两省的 4 个地(市)15 个县 73 个乡(镇);六盘山林区,林区面积 0.75 万 km^2,位于泾河与渭河的分水岭地带,涉及宁夏、甘肃、陕西 3 省(区)的 4 个地(市)11 个县 72 个乡(镇)。

该区防治的总体目标是保护好现有植被,防止毁林毁草开荒。依法保护森林、草原、水土资源,对有潜在侵蚀危险的地区,积极开展封山封沙、育林育草,坚持制止毁林毁草、滥采乱伐、过度放牧和陡坡开荒,防止产生新的水土流失;对已有水土保持治理成果,搞好管理、维护、巩固和提高,使之充分发挥效益。

3. 监督区

涉及范围 16.8 万 km^2,主要为资源开发、建设项目和工矿集中、对地表及植被破坏面积大、人为造成水土流失严重的地区,大部分与治理区重叠。其中国家重点监督区面积 8.66 万 km^2,包括晋陕蒙接壤地区和豫陕晋接壤地区。晋陕蒙接壤地区涉及 3 省(区)5 个地(盟)13 个县(旗、市),面积 5.44 万 km²。豫陕晋接壤地区涉及 3 省 6 个地(市)18 个县(市),面积 3.22 万 km²。

该区防治目标是:加强开发建设项目的管理,对开发建设项目水土保持方案的编报及实施进度、质量、完成情况进行严格审批与监督,使其严格执行《中华人民共和国水土保持法》规定的水土保持方案与主体工程同时设计、同时施工、同时投产使用的"三同时"制度,尽可能减少对地表、植被的破坏,把人为造成的水土流失减少到最低程度;并对已破坏的地表、植被和造成的水土流失进行恢复治理;对违法案件,依法及时进行立案处理。

三、各水土流失类型区防治措施布局

黄土高原地区,根据其水土流失规律和特征,分为黄土丘陵沟壑区、黄土高塬沟壑区、黄土阶地区、风沙区、干旱草原区、土石山区、冲积平原区、林区、高地草原区九个水土流失类型区,按照各类型区小流域水土流失的不同特点,因地制宜地配置相应的水土保持措施。

1.黄土丘陵沟壑区

涉及范围 21.78 万 km²,其中水土流失面积 20.33 万 km²。涉及陕西榆林、延安、千阳、陇县、靖边、定边、吴旗片;山西河曲、保德、偏关、神池、五寨、右玉片;内蒙古红河、黄甫川、窟野河片;甘肃庆阳、天水、临夏、兰州、定西、环县片;宁夏固原、西吉、海原、同心片;青海沿黄、沿湟片;河南伊、洛河片。

该区是九个类型区中水土流失最严重的类型区。其地形地貌特点:以梁峁状丘陵为主,地形破碎,坡陡沟深。水土流失特点:面蚀、沟蚀都很严重;面蚀主要发生在坡耕地,其次是荒坡,沟蚀主要发生于坡面切沟和幼年冲沟。

根据该类型区小流域侵蚀特征,综合治理由五道防护体系构成:即梁峁顶防护体系——主要是以灌草为主,防风固沙,保护梁峁及其附近地域;梁峁坡防护体系——主要是以水平阶、鱼鳞坑等小型水保工程为主,拦蓄降水,保持水土,把梁峁坡变成农业和果品生产基地;峁缘线防护体系——主要是以沟头防护工程为主,拦截梁峁坡防护体系的剩余径流,分割水势,防止溯源侵蚀;沟坡防护体系——主要是进行工程造林种草,发展径流林业,遏制产流,进一步拦截上段防护林体系的剩余径流,固土护坡;沟底防护体系——主要是修建以治沟骨干工程为主的工程体系,拦截坡面防护体系没有拦截住的产流、产沙,抬高侵蚀基点,变荒沟为坝地。

黄土丘陵沟壑区根据地形地貌、水土流失特点又分为五个副区,各副区根据因地制宜的原则,在具体措施配置中各有侧重。丘陵一副区和二副区,主要是峁状丘陵,地形特别破碎,沟壑密度较大,在治理措施中筑坝淤地占相当重要的地位。丘陵三副区和四副区,主要是梁状丘陵,坡面比较完整,在治理措施中坡耕地改修水平梯田占相当重要的地位。在抓紧坡面治理的同时,在支毛沟中建设坝地和小片水地,增加粮食产量。针对干旱严重问题,需采取修水窖,涝池、塘坝等小型水保集雨工程措施,解决部分人畜饮水问题。丘陵五副区干旱少雨,地面坡度较缓,且有丘间小盆地(俗称坰、掌或壕地)。水土保持的重点是"固沟保坰",配合沟头修防护围埝,制止沟头延伸。

2.黄土高塬沟壑区

涉及范围 3.27 万 km^2,其中水土流失面积 3.15 万 km^2。涉及陕西洛、渭片,甘肃董志塬片,山西临汾、汾西片。

其地形地貌特点:塬面广阔平坦,沟壑深切。水土流失特点:沟蚀较重,面蚀较轻,沟壑内崩塌、滑塌、陷穴、泻溜等重力侵蚀严重。

该类型区主要水土保持措施及配置应突出"保塬固沟,以沟养塬"的原则,小流域综合治理由三道防护体系构成:即塬面防护体系——在塬面形成以树庄、道路为骨架,以条田埝地(即塬面宽幅梯田)为核心的田、路、堤、林网、小型水保集雨工程等相配套的塬面综合防护体系。沟坡防护林系——在缓坡修梯田,陡坡整地造林种草,形成以造林种草为主,工程措施与林草措施相结合的坡面防护体系;沟道防护体系——从上游到下游,支毛沟到干沟,以沟道工程为主,兼造沟道防护林,以抬高侵蚀基点,形成以沟道工程与林草措施相结合的沟道防护体系。

3. 黄土阶地区

涉及范围 2.32 万 km²,其中水土流失面积 1.97 万 km²。涉及陕西渭河两岸片,山西黄、汾、沁河沿岸片,河南西部沿黄片。

其地形地貌特点:有二、三级宽平台阶。水土流失特点:面蚀轻微,略有沟蚀。土地利用宜以农业为主,结合小流域综合治理,平整土地,引洪漫地,造林种草,发展林果业。对局部存在的沟道侵蚀,可采取沟头、沟边修防护围埝,沟坡造林种草,沟底修谷坊、坝、埝等措施进行治理。

4. 风沙区

涉及范围 6.51 万 km²,其中水土流失面积 3.59 万 km²。涉及陕西榆林西北片,内蒙古伊盟、巴盟片。

其地形地貌特点:沙丘密布,间有滩地。水土流失特点:以风蚀为主,沙丘移动,形成流动、半固定和固定三种沙丘。风沙区治理的主要措施是大面积造林种草,增加地面覆盖。流动沙丘的治理措施是设沙障,在风口及迎着沙丘移动方向大力营造防风固沙林带,带、片、网相结合,阻止沙漠南侵;在耕地四周营造农田防护林,以减缓风速,保护农业丰收。充分利用地下水资源,兴修小型水利工程,开发利用水资源,发展灌溉,在条件适当的地方,采取引水拉沙造田等措施,建设基本农田,开发沙产业,发展农、林、牧、副业。对沙丘间的碱滩地通过挖排水沟降低地下水位,种草或压客土予以改良,通过修"马槽井"自流灌溉等措施,发展小片水地。

5.干旱草原区

涉及范围 5.70 万 km^2,其中水土流失面积 4.45 万 km^2,涉及甘肃景泰、靖远片,内蒙古伊盟西北片,宁夏银南片。

其地形地貌特点:低丘宽谷,间有滩地。水土流失特点:风蚀为主,水蚀轻微。该区水土保持措施主要是保护草原,合理调整载畜量,阻止因过度放牧采药引起草场退化;对已退化草场,实行草原划管,采取轮封、轮牧、补种牧草等措施,及时进行牧草改良,尽快提高产草量和载畜能力;营造防风固沙林、草原防护林和灌木放牧林、饲料林;积极建设人工饲料基地,减轻发展畜牧对天然草场的压力。

6.土石山区

涉及范围 13.87 万 km^2,其中水土流失面积 9.23 万 km^2。涉及陕西秦岭北坡片,山西吕梁太岳、中条山片,甘肃平凉南部、陇西岭北片,内蒙古阴山片,宁夏六盘山片,青海南北山片,河南熊崤山片。

其地形地貌特点:山高坡陡谷深。水土流失特点:不仅流失泥沙,而且夹杂石砾,严重的还形成泥石流,坡耕地上有面蚀。该区水土流失治理的起步措施是修建基本农田,关键性的措施是恢复林草植被。在缓坡耕地修筑石坎(土坎)水平梯田;在支毛沟修石谷坊或闸沟垫地,在小块地种植农作物或造林;干沟中有条件的在沟滩造田,促进陡坡退耕。在荒山荒坡和退耕地上造林种草,或封山封坡,育林育草。在恢复、保护林草植被前提下,大力发展林特土产、畜牧业等多种经营。

7.冲积平原区

涉及范围 5.06 万 km^2,,其中水土流失面积 0.24 万 km^2。涉及陕西秦川片,山西汾河片,内蒙古河套片,宁夏银川片,河南伊、洛、沁河下游片。

其地形地貌特点:广阔平缓无切割。水土流失特点:水土流失轻微。主要措施是营造农田防护林,搞好"四旁"绿化,形成田、林、路、梁配套,工程措施与植物措施相结合的防治体系,并加强预防保护和监督,防止人为活动造成新的水土流失。该区土地利用以农业为主,结合水利、水土保持,平整土地,造林种草,发展林果业、畜牧业等多种经营。

8.林区及土石山区的有林部分

涉及范围 1.97 万 km²,其中水土流失面积 0.87 万 km²。涉及陕西崂山、黄龙、子午岭片,甘肃子午岭片及土石山区的有林部分。

其地形地貌特点:梁状丘陵覆盖次生林。水土流失特点:坡耕地上有面蚀。该区水土流失防治的关键是采取有效的预防监督措施,依法保护山林。坚决制止滥采乱伐;搞好封山育林;对现有农耕地,通过加强基本农田建设,实现"少种、高产、多收",尽量避免在陡坡地上扩大耕种面积,破坏林草植被。

9.高地草原区

涉及范围 3.79 万 km²,其中水土流失面积 1.57 万 km²。涉及甘肃甘南片,青海湟水、大通河上游片。

其地形地貌特点:高山丘陵,间有滩地。水土流失特点:坡耕地上有面蚀。水土保持的重点是加强预防保护。要合理调整载畜量,做到草畜平衡,防止因过度放牧引起草场退化;对已退化的草场,实行草原划管,采取轮封轮牧、补种牧草等措施,及时改良草场,提高产草量和载畜能力;积极建设人工饲料基地,减轻发展牲畜对草场的压力。

第四节　水土流失治理措施规划

一、规划原则

(1)坚持植物、工程、耕作相结合综合治理的原则,把水土流失治理与生态环境建设、经济开发融为一体,实现生态、经济、社会三大效益协调发展。

(2)为保证实现退耕还林(草)、绿化荒山的目标,在稳定基本农田建设规模、实现水土流失区农村人口粮食基本自给的情况下,加大植被建设力度,实现退耕还林还草;2010年后,原则上不再安排坡改梯建设,人口变化带来的粮食需求,主要依靠已有基本农田质量的提高和结合沟道工程建设增加的沟坝地解决。

(3)针对黄土高原地区重力侵蚀与沟道侵蚀严重的特点,注重沟道工程建设,建设以治沟骨干工程和淤地坝相配套的沟道工程体系,拦泥淤地。

(4)针对黄土高原地区气候干旱、水资源缺乏的特点,为提高对天然降水资源的利用程度,提高植物措施的成活率和效益,建设小型水保集雨工程。

二、规划目标

1.总体目标

动员和组织全区人民,加快综合治理步伐,加强水土保持预防监督,科学合理地配置各项措施,到下世纪中叶,实现黄土高原地区适宜治理的水土流失面积全部初步治理一遍、减少入黄泥沙8.26亿t的总目标。

2.阶段目标

鉴于黄土高原地区水土保持的长期性、复杂性和艰巨性,规划划分为近期(2001~2010年)、中期(2011~2030年)、远期(2031~2050年)三个时段。各时段目标分述如下。

1)近期(2001~2010年)目标

用10年的时间,完成治理措施面积12.10万 km^2,(前5年完成6.05万 km^2),每年完成治理措施面积1.21万 km^2,使水土流失治理初见成效,全区农村人口粮食基本自给,完成坡改梯建设任务,坡耕地全部实现退耕,群众生活稳定脱贫,人为水土流失基本得到控制,生态环境恶化的趋势得到基本遏制;水土保持措施年平均减少入黄泥沙 5 亿 t 左右。水土保持预防监督管理机构进一步健全,水土保持法规体系进一步完善,水土保持预防监督工作得到进一步加强。

2)中期(2011~2030 年)目标

用 20 年时间,完成水土流失治理措施面积 24.2 万 km²,年治理 1.21 万 km²。在巩固近期治理成果的基础上,加大林草植被建设,继续保持比较高的治理速度;提高基本农田的质量标准,保证农业人口粮食需求,群众生活步入富裕;人为造成的水土流失基本得到恢复治理,生态环境有明显改善,水土流失治理大见成效。各种水土保持措施平均年减少入黄泥沙 8 亿 t 左右;全面建立起健全的水土保持监督执法体系和法规体系,水土保持预防监督工作得到充分加强。

3)远期(2031~2050 年)目标

完成治理措施面积 3.2 万 km²,巩固已治理的成果。到下个世纪中叶,整个黄土高原地区适宜治理的水土流失面积全部初步治理一遍;已造成的人为水土流失面积全部得到恢复治理,生态环境走上良性循环的轨道;水土保持措施平均年减少入黄泥沙稳定在 8 亿 t 左右,并通过干流工程建设、下游河道整治,有效地缓解黄河下游严峻的防洪形势;建立起基本适应国民经济可持续发展的良性生态系统;黄土高原大部分地区环境优美、生产发展、群众富裕。

三、综合治理措施规划

1.规划面积

根据 1990 年全国土壤侵蚀遥感普查资料,1990 年底黄土高原地区土壤侵蚀模数大于 1 000t/(km²·a)的水土流失面积为 45.4 万 km²,从 1991 年至 2000 年底 10 年的治理面积为 5.9 万 km²,其余 39.5 万 km² 水土流失面积为规划治理面积。全区各省(区)水土流失规划治理面积见表 4。

表4		2000 年各省(区)水土流失面积					（单位：万 km²）	
省(区)	青海	甘肃	宁夏	内蒙古	陕西	山西	河南	合计
面积	2.02	7.28	3.34	10.88	7.68	6.6	1.70	39.5

2.规划安排

1)总体安排

按照规划目标,2001～2050 年共新增治理措施面积 39.5 万 km²(折合 59 250 万亩),其中,林草植被建设 54 605.3 万亩(含退耕还林还草 8 494.5 万亩),新修基本农田 4 644.7 万亩(包括坡改梯 3 847.5 万亩,沟坝地 797.2 万亩)。在林草植被建设当中,水保林 33 127.1 万亩,经济林 5 999.4 万亩,人工种草 15 478.8 万亩。治沟骨干工程 19 711 座,淤地坝 13 万座,小型水保集雨工程 500 万处。2001～2050 年黄土高原地区新增综合治理措施分时段规划见表 5,各省(区)分时段新增治理措施面积见表 6(1)、表 6(2)、表 6(3)。

2)分时段安排

近期(2001～2010 年):新增治理措施面积 12.1 万 km²(折合 18 150 万亩),其中,林草植被建设 14 302.5 万亩(含退耕还林还草 8 494.5 万亩),新修基本农田 3 847.5 万亩。在林草植被建设中,水保林 6 161.43 万亩,经济林 4 270.75 万亩,人工种草 3 870.32万亩。治沟骨干工程 6 000 座,淤地坝 41 500 座,小型水保集雨工程 150 万处。

中期(2011～2030 年):新增治理措施面积 24.2 万 km²(折合 36 300 万亩),其中,林草植被建设 35 901.4 万亩,基本农田 398.6 万亩。在林草植被建设中,水保林 23 785.5 万亩,经济林 1 728.75万亩,人工种草 10 387.15 万亩。治沟骨干工程 10 000 座,淤地坝 75 000 座,小型水保集雨工程 300 万处。

远期(2031～2050 年):完成下余治理措施面积 3.2 万 km²

表 5　黄土高原地区 2001～2050 年末新增综合治理措施规划

时段 (年)	治理面积 (万 km²)	基本农田 (万亩)	林草植被 (万亩)			沟道工程 (座)		小型水保集雨工程 (万处)
			水保林	经济林	人工种草	骨干工程	淤地坝	
2001～2010	12.1	3 847.5	6 161.43	4 270.75	3 870.32	6 000	41 500	150
2011～2030	24.2	398.6	23 785.5	1 728.75	10 387.15	10 000	75 000	300
2031～2050	3.2	398.6	3 180.07		1 221.33	3 711	13 500	50
2001～2050	39.5	4 644.7	33 127.10	5 999.5	15 478.80	19 711	130 000	500

表6(1)　　　　　　各省(区)2001~2010年新增综合治理措施规划

省(区)	治理面积(万km²)	基本农田(万亩)	林草植被(万亩)			沟道工程(座)		小型水保集雨工程(万处)
			水保林	经济林	人工种草	骨干工程	淤地坝	
青海	6 425	376.8	325.30	44.03	217.20	102	1 700	5
甘肃	28 102	407.5	1 545.95	1 294.64	967.17	1 348	8 200	26
宁夏	10 235	185.20	435.80	288.78	325.54	216	2 700	8
内蒙古	23 703	722.6	1 451.80	247.87	1 133.11	598	7 500	7
陕西	24 610	245.4	1 383.61	1 352.59	709.90	2 400	12 100	48
山西	21 747	786.3	974.19	996.47	505.04	1 190	7 700	39
河南	6 178	823.7	44.31	46.37	12.37	146	1 600	17
合计	121 000	3 847.5	6 161.43	4 270.75	3 870.32	6 000	41 500	150

表6(2)　　　　　　　　　各省(区)2011～2030年新增综合治理措施规划

省(区)	治理面积 (万km²)	基本农田 (万亩)	林草植被 (万亩)			沟道工程 (座)		小型水保集雨工程 (万处)
			水保林	经济林	人工种草	骨干工程	淤地坝	
青海	12 126	13.45	1 102.66	34.77	668.02	170	3 305	13
甘肃	38 109	75.50	4 093.51	114.57	1 432.78	2 248	14 663	55
宁夏	20 489	21.55	1 901.53	204.22	946.06	360	5 115	17
内蒙古	77 353	65.70	6 628.92	293.43	4 614.90	997	14 207	14
陕西	45 887	132.55	4 983.99	375.91	1 390.60	4 000	21 145	93
山西	38 689	78.00	4 111.65	445.73	1 167.97	1 982	13 842	75
河南	9 347	11.85	963.25	260.13	166.82	243	2 723	33
合计	242 000	398.60	23 785.50	1 728.75	10 387.15	10 000	75 000	300

表6(3)　　　各省(区)2031~2050年新增综合治理措施规划

省(区)	治理面积 (km²)	基本农田 (万亩)	林草植被 (万亩)			沟道工程 (座)		小型水保集雨工程 (万处)
			水保林	经济林	人工种草	骨干工程	淤地坝	
青海	1 649	13.45	147.34	0.00	86.49	64	724	2
甘肃	6 589	75.50	681.04	0.00	231.86	835	2 553	9
宁夏	2 676	21.55	262.06	0.00	117.70	134	1 051	4
内蒙古	7 744	65.70	657.58	0.00	438.39	369	2 918	3
陕西	6 303	132.55	645.50	0.00	167.40	1 484	3 406	14
山西	5 564	78.00	602.26	0.00	154.39	734	2 451	13
河南	1 475	11.85	184.24	0.00	25.11	91	397	5
合计	32 000	398.60	3 180.07	0.00	1 221.33	3 711	13 500	50

（折合 4 800 万亩），其中，林草植被建设 4 401.4 万亩，基本农田 398.60 万亩。在林草植被建设中，水保林 3 180.07 万亩，人工种草 1 221.33 万亩。治沟骨干工程 3 711 座，淤地坝 13 500 座，小型水保集雨工程 50 万处。

四、主要治理措施

1. 基本农田建设

基本农田建设是水土保持主要的基础措施之一，对减少入黄泥沙、改善农业生产条件、促进群众脱贫致富、发展区域经济等方面具有非常重要的战略意义。其主要作用：一是减缓坡度，截短坡长，改变小地形，控制水土流失；二是将"跑水、跑土、跑肥"的低产坡耕地改造成为"保水、保土、保肥"的高产稳产的基本农田，促进坡耕地的退耕，还林还草；三是为造林种草创造良好的、平整的立地条件，拦蓄降水，提高造林种草的成活率和保存率。

经论证，对人口预测，到 2010 年该区农业人口可达到 6 791.48 万人，按农业人均粮食 380 kg（包括口粮 270 kg、种子粮 30 kg、饲料粮 80 kg）考虑，全区农业人口粮食总需求量约为 2 580.73 万 t。按照规划的总体目标及时段目标和实现粮食基本自给的要求，为实现 2010 年前坡耕地全部退耕的目标，依照粮食的需求量和多年基本农田的粮食产量统计分析计算，到 2010 年，需基本农田 1.355 亿亩，即在 2000 年基本农田的基础上，仍需新增基本农田面积 3 847.55 万亩。各省（区）基本农田粮食生产能力见表 7。

表 7　　　　　　　**各省（区）基本农田粮食生产能力**　　（单位：kg/亩）

青海	甘肃	宁夏	内蒙古	陕西	山西	河南
159	169	173	170	191	204	252

目前，黄土高原地区共有坡耕地 12 341 万亩，到 2010 年，将把其中的 3 847.5 万亩改造为基本农田，平均每年改造基本农田

384.75 万亩,剩余的 8 494.5 万亩,到 2010 年全部实现退耕,平均每年退耕面积为 849.45 万亩。2010 年以后不再安排耕地改造,人口变化带来的粮食需求,主要依靠原有的基本农田质量的提高和结合沟道工程建设增加的沟坝地解决。

　　根据黄土高原地区近十年来每年 400 万亩以上的基本农田实际建设速度,2001～2010 年每年 384.75 万亩的建设速度是切实可行的。各省(区)基本农田建设和退耕规划任务见表 8。

　　2.植被建设

　　植被建设主要包括水土保持林(含沙棘林)、经济林及人工种草等,是水土保持综合治理、改善生态环境、增加经济效益的主要措施之一。

　　1)植被的水平分布

　　受气候、地形、土壤等各项地理要素的综合影响和制约,黄土高原地区植被水平分布自南向北呈现明显的地带性,在不同地带中所发育的植被类型的组合均有差异。黄土高原地区从南到北大致可分为三个植被带。

表 8　　　各省(区)2010 年末基本农田建设与退耕规划任务

省(区)	农业 人口 (万人)	粮食 需求量 (万 kg)	需基本 农田数 (万亩)	已有基 本农田 (万亩)	需新增 基本农田 (万亩)	坡耕地规划 (万亩)	
						改造基 本农田	退耕
青海	279.64	106 263.2	668.8	292	376.8	376.8	351.2
甘肃	1 342.28	510 066.4	3 011.5	2 604	407.5	407.5	2 987.5
宁夏	406.82	154 591.6	895.2	410	485.2	485.2	631.8
内蒙古	446.75	169 765.0	998.6	276	722.6	722.6	972.4
陕西	1 953.68	742 398.4	3 894.4	3 649	245.4	245.4	1 999.6
山西	1 441.68	547 838.4	2 689.3	1 903	786.3	786.3	1 487.7
河南	920.63	349 839.4	1 389.7	566	823.7	823.7	64.3
合计	6 791.48	2 580 762.4	13 547.5	9 700	3 847.5	3 847.5	8 494.5

(1)草原植被带。位于黄土高原地区西北边缘,西起甘肃永登以东,经兰州、靖远、清水河、靖边、榆林、察哈尔右旗一线的以北地区。年降水量小于 350 mm,区内辐射和热量条件很好,年均温度 7.9~9.0℃,≥10℃年积温 3 000 ℃左右,正常情况下造林种草受到严重制约。除在个别水源地附近、村旁院落适宜零星种植乔木外,主要适宜种草、种灌木。营造方式应以建设草库仑、轮封轮牧、恢复植被为主,结合风沙区治理,人工种植或飞播耐干旱、耐风沙的沙生植物。

(2)灌丛草原植被带。位于黄土高原中部地区,西起日月山,经临夏、漳县、西吉、庆阳、子午岭和黄龙山林区的北缘、蒲县、吕梁、平鲁县一线以北。年降水量在 350~550 mm,年平均温度 6~9℃,≥10℃年积温 2 300~3 200℃,适宜营造灌、草,乔木生长受到较大限制。该区除水源条件较好的沟道、渠旁、村旁院落及阴坡下部等营造乔木树外,大部分地方应以营造灌木林为主。

(3)乔木植被带。位于黄土高原地区东南部,经天水、平凉、延安一线以南地区。年降水量大于 550 mm 以上,降水较为充足,年均温度 12.5℃,≥10℃年积温 4 500℃左右,是黄土高原地区最适宜于造林种草的区域。发展以乔木为主的森林植被,采取乔木纯林、乔灌草混交林。

2)植被的垂直分布

黄土高原山地随海拔高度的上升,更替着不同的植被带,一般海拔上升 100 m,气温降低 1℃,在不同海拔高度,无论是植被类型、树种等都有明显的差异,呈现有规律的更替。随海拔高度上升,植被的分布为阔叶林—针阔叶混交林—针叶林—高山草甸。确定造林种草的规模、比例结构,既考虑所在水平植被带的特点,又考虑具体的垂直分布。各山地垂直带谱的结构和每一垂直带的群落组合,一方面受该山所在的水平地带的制约,另一方面受山体高度、山脉走向、坡向、地形和局部气候等的影响,每一个山体都具有其特有的植被垂直带系列。但是,由于在大致相同的生物—气候的条件下,地形所引起的水、热因素变化的效应也是基本一致的,所以每个水平植被地带的山地植被,一般均具有相同或相似的垂直带谱。黄土高原地区三个水平植被分布带中的垂直分布情况,以一个典型山体的植被垂直分布为代表,草原植被带以贺兰山东坡为代表;灌草植被带以六盘山为代表;乔木植被带以秦岭太白山为代表。

3)林草植被建设规模

经论证,林草植被建设的总任务为54 605.3万亩(含退耕还林还草8 494.5万亩),其中:水保林33 127.1万亩(含沙棘4 500万亩),经济林5 999.4万亩,人工种草15 478.8万亩。按照规划的总体目标和阶段目标,各省(区)林草植被建设规划任务见表9。

表9　　　　黄土高原各省(区)林草植被建设规划任务　(单位:万亩)

省(区)	小计	经济林	水保林	人工种草
青海	2 626.3	78.8	1 575.8	971.7
甘肃	10 361.5	1 409.2	6 320.5	2 631.8
宁夏	4 481.7	493.0	2 599.4	1 389.3
内蒙古	15 466.0	541.3	8 738.3	6 186.4
陕西	11 009.5	1 728.5	7 013.1	2 267.9
山西	8 957.7	1 442.2	5 688.1	1 827.4
河南	1 702.6	306.5	1 191.8	204.3
合计	54 605.3	5 999.5	33 127	15 478.8

2001~2010年、2011~2030年、2031~2050年,各省(区)林草植被建设规划任务见表10、表11、表12。

表 10 　　　　各省(区)2001～2010 年植被建设任务安排 （单位:万亩）

省(区)	小计	经济林	水保林	人工种草
青海	587.02	44.03	325.80	217.20
甘肃	3 807.75	1 294.64	1 545.95	967.17
宁夏	1 050.12	288.78	435.80	325.54
内蒙古	2 832.78	247.87	1 451.80	1 133.11
陕西	3 446.10	1 352.59	1 383.61	709.90
山西	2 475.70	996.47	974.19	505.04
河南	103.05	46.37	44.31	12.37
合计	14 302.5	4 270.75	6 161.43	3 870.32

表 11 　　　　各省(区)2011～2030 年植被建设任务安排 （单位:万亩）

省(区)	小计	经济林	水保林	人工种草
青海	1 805.45	34.77	1 102.66	668.02
甘肃	5 640.85	114.57	4 093.51	1 432.78
宁夏	3 051.80	204.22	1 901.53	946.06
内蒙古	11 537.25	293.43	6 628.92	4 614.90
陕西	6 750.50	375.91	4 983.99	1 390.60
山西	5 725.35	445.73	4 111.65	1 167.97
河南	1 390.20	260.13	963.25	166.82
合计	35 901.4	1 728.75	23 785.5	10 387.15

表 12　　　　　　各省(区)2031～2050 年植被建设任务安排　(单位:万亩)

省(区)	小计	经济林	水保林	人工种草
青海	233.83	0.00	147.34	86.49
甘肃	912.90	0.00	681.04	231.86
宁夏	379.78	0.00	262.08	117.70
内蒙古	1 095.97	0.00	657.58	438.39
陕西	812.90	0.00	645.50	167.40
山西	756.65	0.00	602.26	154.39
河南	209.35	0.00	184.24	25.11
合计	4 401.40	0.00	3 180.07	1 221.33

　　沙棘在黄土高原地区具有广泛的适宜性,是黄十高原水土保持生态环境建设的主要树种之一。利用沙棘治理水土流失,投入少、见效快。依照适地适树的原则,沙棘主要布设在晋陕蒙砒砂岩地区、多沙粗沙区及燃料缺乏的渭河上中游和青海海东地区。各省(区)沙棘建设任务见表 13。

表 13　　　　　　各省(区)2001～2015 年沙棘种植任务规划　(单位:万亩)

省(区)	青海	甘肃	宁夏	内蒙古	陕西	山西	合计
建设任务	228.05	675.7	337.9	1 671.5	860.7	725.7	4 500
良种推广	2.28	6.75	3.38	16.72	8.61	7.26	45

3.沟道工程建设

　　黄土高原地区沟道重力侵蚀特别严重,崩塌、滑塌、泻溜等是危害最严重的侵蚀类型。据研究,在高原沟壑区南小河沟重力侵蚀的产沙量占总产沙的 57.2%;在黄丘一副区韭园沟,重力侵蚀的产沙量占总产沙量的 20.2%；在黄丘三副区吕二沟，重力侵蚀的产沙量则占总产沙量的 68%。

以治沟骨干工程为主，配套中小型淤地坝，形成相对稳定的沟道工程体系是多沙粗沙区有效拦蓄径流泥沙、淤地、调节区域水资源平衡，改善生态环境，提高防御标准，加快治理进度，减少入黄泥沙一项关键性水土保持工程措施。

经论证，治沟骨干工程主要布设在多沙粗沙区大于 3km^2 的沟道内，涉及 7 省(区)127 个县(旗、市)，包括无定河、三川河、黄甫川、窟野河、秃尾河、孤山川、延河、北洛河、渭河等 32 条主要支流。

1)骨干工程和淤地坝规模

根据全区沟道工程建设现状，2000 年完建治沟骨干工程1 289座，淤地坝工程11.2 万座。到规划期末，新增治沟骨干工程19 711座，达到21 000座；新增淤地坝工程13 万座，达到24.2 万座。各省(区)沟道工程建设规划见表 14。

表 14　　　　　　各省(区)沟道工程建设规划　　　　(单位:座)

省(区)	骨干工程			淤地坝		
	现状	新增	累计达到	现状	新增	累计达到
青海	45	336	381	3 877	5 729	9 606
甘肃	186	4 431	4 617	6 603	25 416	32 019
宁夏	60	710	770	4 936	8 866	13 802
内蒙古	278	1 964	2 242	17 819	24 625	42 444
陕西	361	7 884	8 245	36 816	36 651	73 467
山西	327	3 906	4 233	37 802	23 993	61 795
河南	32	480	512	4 147	4 720	8 867
合计	1 289	19 711	21 000	112 000	130 000	242 000

2）骨干工程和淤地坝分期实施安排

按近期（2001～2010年）、中期（2011～2030年）、远期（2031～2050年）三个时段安排。

（1）治沟骨干工程。近期（2001～2010年）每年安排600座，共安排6000座；中期（2011～2030年）每年安排500座。共1万座；远期（2031～2050年）安排3711座。50年共安排19711座。各省（区）分时段实施安排见表15。

表15　　　各省（区）分时段治沟骨干工程建设实施安排　（单位：座）

省（区）	2001～2010年	2011～2030年	2031～2050年	合计
青海	102	170	64	336
甘肃	1 348	2 248	835	4 431
宁夏	216	360	134	710
内蒙古	598	997	369	1 964
陕西	2 400	4 000	1 484	7 884
山西	1 190	1 982	734	3 906
河南	146	243	91	480
合计	6 000	10 000	3 711	19 711

（2）淤地坝工程。近期（2001～2010年）每年安排4 150座，共安排41 500座；中期（2011～2030年）每年安排3 750座，共安排7 500座；远期（2031～2050年）安排13 500座。50年内共安排淤地坝工程13万座。各省（区）分时段实施安排见表16。

4.小型水保集雨工程

针对黄土高原地区气候干旱，水资源缺乏的特点，为提高对天然降水资源的利用程度，提高植物措施的成活率和效益，建设500万处小型水保集雨工程。

表 16		各省(区)分时段淤地坝建设实施安排		（单位:座）
省(区)	2001~2010 年	2011~2030 年	2031~2050 年	合计
青海	1 700	3 305	724	5 729
甘肃	8 200	14 663	2 553	25 416
宁夏	2 700	5 115	1 051	8 866
内蒙古	7 500	14 207	2 918	24 625
陕西	12 100	21 145	3 406	36 651
山西	7 700	13 842	2 451	23 993
河南	1 600	2 723	397	4 720
合计	41 500	75 000	13 500	130 000

近期(2001~2010 年)安排 150 万处,中期(2011~2030 年)安排 300 万处,远期(2031~2050 年)安排 50 万处。各省(区)实施安排见表 17。

表 17		各省(区)小型水保集雨工程实施安排		（单位:万处）
省(区)	2001~2010 年	2001~2030 年	2031~2050 年	合计
青海	5	13	2	20
甘肃	26	55	9	90
宁夏	8	17	4	29
内蒙古	7	14	3	24
陕西	48	93	14	155
山西	39	75	13	127
河南	17	33	5	55
合计	150	300	50	500

五、非工程措施安排

1.加强水土保持预防监督

监督区的范围包括资源开发建设项目及工矿集中,对地表、植被破坏面积大,造成人为水土流失严重的地区,总面积 16.80 万 km²。各省(区)规划实施方案见表 18。

表 18　　　　　监督区各省(区)规划实施方案　　　(单位:万 km²)

省(区)	合计	青海	甘肃	宁夏	内蒙古	陕西	山西	河南
面积	16.80	1.10	3.76	0.62	2.39	5.11	2.18	1.64

全地区被列入国家重点监督区的有晋陕蒙接壤地区和豫陕晋接壤地区,总面积 8.66 万 km²。

近期预防监督的主要工作任务是:

全面开展水土保持预防监督管理规范化建设,加大预防监督工作力度,建立起预防监督基本运作机制,建立示范工程,全面实行监督管护责任制。在国家重点防治区和大型开发建设项目单位,建立 6 个预防监督示范区和 3 个监督监测示范区。

2010 年后,全面建立健全的水土保持预防监督工作体系,使预防监督管理、管护的效益得到充分体现。

2.建立高起点的水土保持监测信息网络

其主要任务是:监测水土流失面积、分布、流失量、流失发展趋势及危害,水土保持预防监督、治理开发情况及治理效益等,为水土流失预报、水土保持公告和各级领导及时、准确、科学决策提供依据。在重点治理区,着重监测小流域及沟道水文要素和水土保持设施、质量、效益;在保护区主要对植被面积、结构、总体效益和生态环境变化进行监测;在监督区重点监测开发建设项目造成的人为水土流失面积,弃土弃渣位置、数量和造成的危害,治理后的效果。

水土保持监测与信息网络的建设与现有水文、水保等机构和设施相结合。

近期在郑州建成终端站 1 个,在西安建成中心站 1 个,在各省(区)建成省级监测站 7 个;在重点防治区域建成 36 个监测分站;在重点支流及黄河干流建成控制监测站 40 个。做好遥感调查和基本信息库的建立,做好基本数据、基本资料、基本情况的搜集和处理。

中期建成监测站点 528 个,初步形成监测与信息网络体系,并实现全面监测预报和技术服务等工作。

3. 支持服务系统建设

(1)科研、推广、培训。注重水土保持科学研究、成果推广和技术培训,加大水土保持综合治理中的科技含量。根据目前水土保持科技水平和规划实施中急需解决的关键技术问题,重点加强宏观管理决策、综合治理关键措施、监测管理、基础数据库等方面的研究,实行试验、示范、推广相结合,到 2030 年,黄土高原水土保持科技成果转化率达到 80% 以上。加强对西峰、天水、绥德三个试验站的试验基地建设。加强科技培训,包括高层次培训和农民技术员培训,培养造就一支高层次的科技带头人和有一定专长的农民技术员队伍。

(2)加强工程管理与监理。近年来,随着国家投资力度的不断加大,黄土高原地区水土保持工作长期实行的建设单位自行管理和政府监督相结合的管理模式的弊端日益突出。为了适应新形势需要,在水土保持工程建设和管理中,加强行政部门的监督力度,按照基本建设程序,逐步实行项目法人制、招标投标制和建设工程监理制,实行政府与社会共同管理的形式,促使工程建设的进度、投资、质量按设计实施,落实监督管护责任,使黄土高原水土保持生态建设工程的质量和资金使用效益不断提高。

第五节　投资估算与效益分析

一、编制原则

(1)根据我国的国情和国家财力状况,水土保持工程建设坚持国家、地方、群众共同投入的原则。按本规划的定额标准计算水土流失治理的中央投资、地方匹配和群众投劳,基本农田、植被建设、淤地坝建设、小型水保集雨工程投资,中央与地方比例为1:1。

(2)治沟骨干工程由于工程量大,施工质量要求高,对黄河减沙和防洪影响大,属国家重点建设的大江大河治理工程范畴,投资全部由中央承担。

(3)预防监督、监测和支持服务体系建设投资全部由中央承担。

(4)各种投资均采用静态计算方法,按1998年底现行价格计算;群众投劳不进行折资。

二、编制依据

(1)《水利水电工程设计概(估)算费用构成及计算标准》(1998年)。

(2)《水利水电工程施工机械台班费定额》(1991年)。

(3)《黄河中游水土保持治沟骨干工程概算编制办法》。

(4)《黄河中游水土保持治沟骨干工程概算定额》。

(5)《关于发布工程建设监理费有关规定》国家物价局、建设部[1992]价费字479号文。

三、投资定额及基础价格

1.投资项目

(1)基本农田:本次规划投资只计算梯田的投入,坝地、水地是沟道工程建设后淤积的面积,其投入可不考虑。

(2)林草植被:水保林、经济林、种草。

(3)沟道工程:治沟骨干工程、淤地坝。

(4)小型水保集雨工程。

(5)预防监督与监测:预防监督项目含机构建设、执法装备、监督执法、规范化建设、预防监督与监测示范区建设和水土保持治理成果的管护等项内容;水土保持监测项目含监测站网与信息网络建设、设备购置、监测等项内容。

(6)支持服务体系建设:现代化技术管理、遥感监测及监测评价、技术培训、科学研究、项目前期工作、宣传推广、工程监理等项内容。取(1)、(2)、(3)、(4)投资之和的4.5%。

2.投资定额

(1)基础价格。人工单价参照水利工程计算标准,结合区域内各地市场价格和乡村劳动力供需状况确定。苗木、种籽单价按1998年当地的市场价确定。

(2)机械费。按《水利水电工程施工机械费用定额》和《水利水电工程设计概(估)算费用构成及计算标准》规定确定。

(3)定额确定。梯田:采用机械修平田面,人工整修田坎方式施工确定定额;林草:造林方面国家投入主要包括整地、苗木费,种草按半机械化方式、种籽费等分析确定定额;小型水保集雨工程:主要有谷坊、涝池、沟头防护、集雨窖等工程措施。其定额是根据历年来地方群众修建该项小型工程的投入及近几年来国家投入的集雨工程等进行核定。

治沟骨干工程及淤地坝:依据12年来治沟骨干工程建设成果和14条典型小流域坝系规划成果确定骨干坝、淤地坝的工程量。费用构成包括建筑工程费、临时工程费(取3%)、其他费用(包括建设单位管理费5%、监理费3%、勘测设计费6%)、基本预备费(取10%),见表19、表20。

四、投资估算

略。

表 19　　　　　　　黄土高原地区水土保持措施投资定额

类别	省(区)	水土保持林(元/亩)	人工种草(元/亩)	经济林(元/亩)	基本农田(元/亩)	小型水保集雨工程(万元/处)	淤地坝(万元/座)	骨干工程(万元/座)
中央投资	青海	62	20	147	253	0.15	11.0	96.55
	甘肃	58	19	146	252	0.12	10.6	90.28
	宁夏	57	18	142	250	0.12	10.5	88.68
	内蒙古	57	18	142	248	0.10	10.5	89.67
	陕西	62	20	148	250	0.14	10.8	90.67
	山西	62	20	148	252	0.16	10.8	91.86
	河南	63	21	150	255	0.16	11.0	93.43
地方投资	青海	62	20	147	253	0.15	11.0	
	甘肃	58	19	146	252	0.12	10.6	
	宁夏	57	18	142	250	0.12	10.5	
	内蒙古	57	18	142	248	0.10	10.5	
	陕西	62	20	148	250	0.14	10.8	
	山西	62	20	148	252	0.16	10.8	
	河南	63	21	150	255	0.16	11.0	

五、效益分析

根据《水利建设项目经济评价规范》(SL72-94)和《水土保持综合治理效益计算方法》(GB/T5774-1995)的规定,水土保持综合治理效益计算包括经济效益、减沙效益、蓄水效益和生态效益。本规划重点对2001~2010年规划安排的各项措施的直接效益进行估算,并以1998年物价水平的财务价格,考虑资金的时间价值,采用动态分析的方法进行经济评价。

1.经济效益

根据规划的各项水土保持措施量进行计算预测,到2010年,仅坡改梯可新增粮食生产能力56亿kg,加上现有基本农田,基本满足黄土高原地区农业人口的粮食自给需求,农业人均产粮380

表20　黄土高原地区水土保持措施群众投劳定额

省(区)	水土保持林(工日/亩)	人工种草(工日/亩)	经济林(工日/亩)	基本农田(工日/亩)	小型水保集雨工程(工日/处)	淤地坝(工日/座)	骨干工程(工日/座)
青海	12	5	15	24	150	890	9 000
甘肃	12	5	14	26	120	910	9 100
宁夏	12	6	16	25	120	910	8 900
内蒙古	11	4	16	25	110	920	8 950
陕西	10	5	14	25	130	890	9 050
山西	10	5	15	24	130	890	9 050
河南	10	5	14	24	150	900	9 100

kg 以上。

到 2030 年,新增果品生产能力达 131.4 亿 kg,每年新增薪柴量 179.5 亿 kg,新增饲料草产量 187.1 亿 kg,仅此一项,水土流失区农业人均年收入可增加 317.2 元。

2.减沙效益

2030 年规划的各项水土流失治理措施,可累计增加拦沙 185 亿 t。预计到 2010 年,水土保持措施每年将减少入黄泥沙 5.17 亿 t;到 2030 年,水土保持措施每年将减少入黄泥沙 8.26 亿 t;2031～2050 年的减沙将继续稳定在 8.26 亿 t 左右,入黄泥沙的减少,将有效地减缓下游河道的淤积,配合其他治黄措施,基本解除黄河的洪水威胁。

据"85-926"国家重点科研课题对无定河流域治理措施减沙效益的分析研究成果,说明本规划计算的减沙效益是可行的。无定河是黄河的一级支流,流域总面积 30 261 km²,其中水土流失面积 23 137 km²,多年平均土壤侵蚀模数在 10 000 t/(km²·a)以上;据流域出口站——白家川水文站 1956～1969 年(水土流失基本未得到治理)实测,流域年均输沙量 2.177 亿 t。经过多年治理,截至 1993 年底,全流域累计完成治理面积 12 880 km²。其中基本农田 2 024 km²,水保林 8 895 km²,人工种草 1 961 km²,建设淤地坝 11 631 座,治理程度达 50.76%。据白家川站 1970～1993 年实测资料分析,无定河流域,1970～1993 年多年平均输入黄河泥沙 6 041 万 t,多年平均减沙 15 729 万 t,其中由于水土保持措施作用的减沙 8 651 万 t,减沙效益为 39.7%。

本规划新增治理措施减沙效益 32.9%。小于无定河流域减沙效益,在治理措施结构上,加强了治沟骨干工程、淤地坝建设,因此规划治理措施实施后,预定的减沙目标能够实现。

3.蓄水效益

水土保持措施拦蓄了相当部分的降水资源,减少了地表径流量,并将其中一部分用于农作物、植物的生长,使原来裸露地面的无效蒸发变为植物的有效蒸腾,降低了蒸发速度,提高了雨水和径流的利用率,增加了土地的生产能力和总生物量。经测算,到 2010 年水土保持措施累积年拦蓄径流量为 20.01 亿 m^3,2030 年累积年拦蓄径流 30.85 亿 m^3,到 21 世纪中叶水土保持措施达到比较高的标准水平后,每年拦蓄径流将为 30.85 亿 m^3 左右。由于水土保持措施减少入黄泥沙的作用,将使下游河道在上述阶段所需要的输沙用水得以减少。水土保持措施对于开发利用黄河水资源具有重要的促进作用。

4. 生态效益

本规划在黄土高原地区实施后,林草植被面积增加了 54 605.3 万亩,林草覆盖率将增加 56.9%,对区域内生态环境产生决定性的影响。一是将使局部地域的小气候向良性方向转化,减轻植物的干旱程度,减少冰雹、干热风、暴雨等自然灾害的发生频次和程度;二是本地区水土流失基本得到控制,将从根本上遏制沙漠化的发展;三是将使区域内生产、生活环境得到改善,国土面貌得到整治,交通更加便利,群众生产、生活用水得到保障。

第六节 政策性措施与建议

(1)纳入国家重点建设计划。建议把黄土高原地区水土流失防治列入国家重点项目建设计划,加大投资力度。特别是对于多沙粗沙区的治理和治沟骨干工程建设,要做为中央重点项目,专项予以支持。

(2)坡耕地退耕还林(草)植被建设实行以粮代赈。

(3)建立新的投入机制。建立中央、地方、群众社会等多渠道的投入机制。重点流失区的治理、治沟骨干工程建设、监测网络与支持服务系统建设,以国家投资为主;各地区大面积的水土保持生态建设,以地方投资、群众投劳为主。建立水土保持效益补偿制度,深化水土保持措施的产权制度改革。

(4)中央水利建设基金应安排部分资金用于水土流失治理。建议修订现有的中央水利建设基金安排的项目类别,把水土保持作为中央水利建设基金的重点项目予以安排投资。

(5)建立综合治理示范工程。建立措施配套、治理与开发并举、科技水平高的综合治理示范工程区和水土保持综合治理示范县,以带动带个黄土高原地区水土保持生态环境建设深入发展。

(6)建议国家以贴息的方式,鼓励该区积极引进外资,用于水土流失治理。在国家投资能力相对不足的情况下,建议国家制定贴息政策,以鼓励该地区能够争取更多的外资和金融贷款用于水土保持,加快水土流失治理步伐。

(7)建立健全流域管理与区域管理相结合的管理体制。按照事权和财权统一的原则,黄土高原地区水土保持实行流域管理和区域管理相结合的管理体制。黄土高原地区国家重点治理区、国家重点防护区、国家重点监督区以及治沟骨干工程建设等重大项目,应纳入治黄总体规划,由中央财政统筹安排资金,流域机构在建立工程立项、审批、实施质量监督与工程验收等科学的工作程序的基础上,按照基本建设项目实行统一管理。其他流失区的治理,列入地方政府的目标责任,由流域机构协调地方政府依据流域水土保持规划和区域综合规划,因地制宜地制定详细治理开发计划,在本级财政预算中安排资金,中央予以一定的扶持。建议修订完善《中华人民共和国水土保持法》,明确流域机构的法律地位和职能。

(编写人员:常茂德、高健翎、严国民、刘会源、王欣成、王正果、段菊卿、陈　平、宋慧斌、王福林、白志刚、王文善、刘正杰、王兴中、崔琰利)